俗世奇人（贰）

冯骥才／著

作家出版社

图书在版编目（CIP）数据

俗世奇人. 2 / 冯骥才 著. -- 北京：作家出版社，2015. 11（2024.4 重印）

ISBN 978-7-5063-8420-9

Ⅰ. ①俗… Ⅱ. ①冯… Ⅲ. ①短篇小说 - 小说集 - 中国 - 当代 Ⅳ. ①I247.7

中国版本图书馆 CIP 数据核字（2015）第 250319 号

俗世奇人（贰）

作　　者： 冯骥才
责任编辑： 钱　英
装帧设计： 合|和|工作室|JOY+BONE|
书名、篇目题字： 孙伯翔
出版发行： 作家出版社有限公司
社　　址： 北京农展馆南里 10 号　　**邮　　编：** 100125
电话传真： 86-10-65067186（发行中心及邮购部）
86-10-65004079（总编室）
E-mail:zuojia@zuojia.net.cn
http://www.zuojiachubanshe.com
印　　刷： 三河市北燕印装有限公司
成品尺寸： 152×230
字　　数： 85 千字
印　　张： 11.75
印　　数： 3005001 — 3035000
版　　次： 2015 年 11 月第 1 版
印　　次： 2024 年 4 月第 56 次印刷
ISBN 978-7-5063-8420-9
定　　价： 22.00 元

目录

又冒出一群人（序）

二十年前，脑袋忽冒出一群人物，全是我家乡天津卫的奇人异士。天津这块地里边，有碱有盐还有硝，因生出各色性格的人，又热又辣又爽又嘎又不好惹。因之，自儿时耳朵里就装满一群群乡土怪客与民间英雄，叫我称奇叫绝，心里佩服。我信——如果没这些人物，就不知道嘛叫作天津卫。

文化学者好述说一地的特征，写小说的只想把这一方水土独有的人物写出来，由此实实在在捧出此地的性情与精神，所以自从我写小说，此地的人物就会自个儿钻出我的笔管，然后一个个活脱脱站出来，独立成篇；一个人物一个故事一篇小说，反过来一篇小说一个故事一个人物。比如《俗世奇人》就是这种写法。

我喜欢这样的写法。好比雕工刻手，去一个个雕出有声有色有脾气有模样的人物形象。小说之所求，不就是创造人物吗？小说成功与否，往往要看掩卷之后，书中的人物能不能跑出来，立在书上。

《俗世奇人》成书前，先是以《市井人物》为题一组组刊在《收获》《故事会》及一些报纸上。后来集结成册，取名《俗世奇人》，凡十八篇。出版后读者甚夥，有些篇章被选入教材。这一来，脑袋里还有一些没写出来的人物便闹腾起来，也要出头露脸，展现身手。近日得闲，一下笔又冒出一群津门奇人，数一数，恰好也是十八个人物十八个短篇。怎么正好也是十八呢？别问我，我也不知。

如今这三十六篇的主人公站在一起，再加上众多配角，乱哄哄一大群。看上去，正是我心里老天津卫的各色人等。

若说地域文化，最深刻的还是地域性格。一般有特色的地域文化只是一种表象，只有进入一个地方人的集体性格的文化才是不可逆的。它是真正一种精灵。还有比《朝花夕拾》那些人物更鲜明的鲁镇，比《骑兵军》那些故事彰显得更夺目的哥萨克吗?

我承认，我是从文化视角来写这一组人物的。从年鉴学派的立场看，任何地域的性格，都是在其历史某一时期中表现得最充分和最耀眼；比如清末的北京、三四十年代的上海和清末民初的天津。我前后所写的这三十六个人物，都在清末民初同一时代，所以这些新写的人物仍然使用原名——《俗世奇人》，只在后边缀个“贰”字，以区别前后而已。

若君问我还会接着写下去吗?这由不得我，就看心里边那些没有写出的人物了，倘若哪天再有一群折腾起来，叫我不宁，自会捉笔再写。

2015年3月12日

篇首歌

十八又十八[1]，
隔门吹喇叭；
小说是诌的，
瞪眼说瞎话。

逗哏您就乐，
甭管真是假；
有心一琢磨，
没准明白啦！

1. 十八又十八：戏说小说篇数，《俗世奇人》原为十八篇，这部《俗世奇人》（贰）又是十八篇。

《醒俗画报》图画

换帖

第陆页

卖点心

《醒俗画报》图画

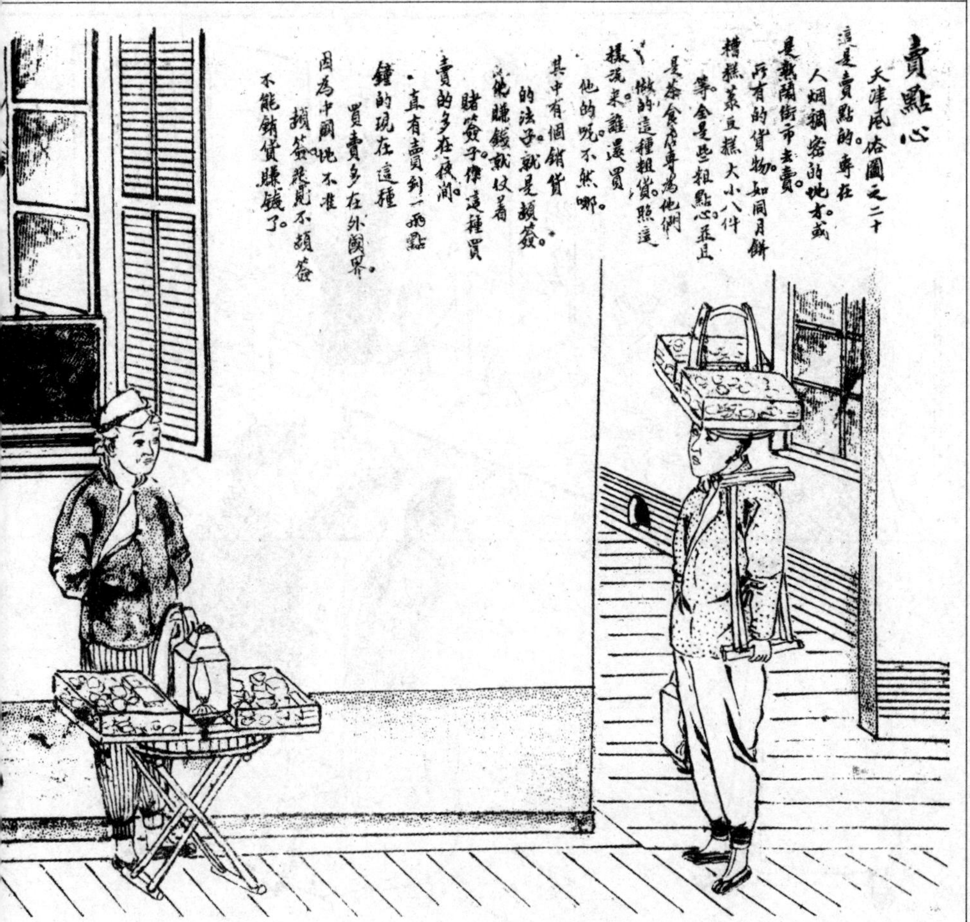
賣點心
天津風俗圖之二十
這是賣點的。專在
人烟稠密的地方。或
是熱鬧街市去賣。
所有的貨物。如同月餅
糟糕蒸豆糕大小八件
等。全是些粗點心。並且
是茶食店專為他們
做的這種粗貨。照這
樣說來。誰還買
他的呢。不然哪。
其中有個銷貨
的法子。就是頭彩。
他賺錢就仗着
賭彩子。像這種買
賣的多在夜間。
真有賣到一兩點
鐘的現在這種
買賣多在外國界。
因為中國地不准
擲彩。恐見不頭彩
不能銷貨賺錢了。

《醒俗画报》图画

怒发冲冠

怒髮衝冠
浙江臬署吏科書吏駱大寶乞打官司一案經李廉訪察悉後大為震怒即將駱大寶及把门人陸連連一併發交督察局嚴訊不料問官祁司馬鍪中不善裁判易於發怒言次將所戴大帽擲於案下值堂役隸咸匿笑不已
及於民
糊塗
一路福星
惠及黎元
恩同再造

黑 头

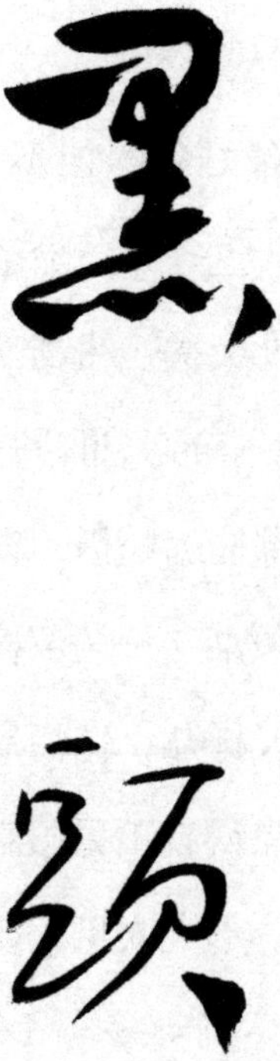

这儿说的黑头，可不是戏曲里的行当，而是条狗的名字。这狗不一般。

黑头是条好狗，但不是那种常说的舍命救主的“忠犬、义犬”，这是一条除了它再没第二的狗。

它刚打北大关一带街头那些野狗里出现时，还是个小崽子，太丑！一准是谁家母狗下了崽，嫌它难看，扔到这边来。扔狗都往远处扔，狗都认家，扔近了还得跑回来。

黑头是条菜狗——那模样，说它都怕脏了舌头！白底黑花，花也没样儿，像烂墨点子，东一块西一块；脑袋整个是黑的，黑得看不见眼睛，只一口白牙，中间耷拉出一小截红舌头。不光人见人嫌，野狗们也不搭理它。北大关挨着南运河，码头多，人多，商号饭铺多，土箱子[1]里能吃的东西也多。野狗们单靠着在土箱子里刨食就饿不着。可这边的野狗个个凶，狗都护食，不叫黑头靠前。故而一年过去，它的个子不见长，细腿瘪肚，乌黑的脑袋还像拳头那么点儿。

1. 土箱子：天津人对垃圾箱的俗称。

北大关顶大的商号是隆昌海货店，专门营销海虾河蟹湖鱼江鳖，远近驰名。店里一位老伙计商大爷，是个敦敦实实的老汉，打小在隆昌先当学徒后当伙计，干了一辈子，如今六十多岁，称得上这店里的元老，买卖水产的事儿比自家的事儿还明白。至于北大关这一带市面上的事儿，全都在他眼里。他见黑头皮包骨头，瘦得可怜，时不时便叫小伙计扔块鱼头给它。狗吃肉不吃鱼，尤其不吃生鱼，怕腥；但这小崽子却领商大爷的情，就是不吃也咬上几口，再朝商大爷叫两声，摇摇尾巴走去。这叫商大爷动了心。日子一久，有了交情，模样丑不丑也就不碍事儿了。

一天商大爷下班回家，这小崽子竟跟在他后边。商大爷家在侯家后，道儿不远，黑头一直跟着他，距离拉得不近不远，也不出声，直送他到家门口。

商大爷的家是个带院的两间瓦房。商大爷开门进去，扭头一看，黑头就蹲在门边的槐树下边一动不动瞧着他。商大爷没理它关门进屋。第二天一天没见它。傍晚下班回家时，黑头不知嘛时候又出来了，又是一直跟着商大爷，不声不响送商大爷回家。一连三天，商大爷明白这小崽子的心思，回到家把院门一敞说："进来吧，我养你了。"黑头就成了商家的一号[1]了。

邻居们有点纳闷，商大爷养狗总得养条好狗；领野狗养，也得挑一条顺眼的，干嘛把这么一个丑东西弄到家里？天天在眼皮子底下转来转去，受得了吗？

商大爷日子宽裕，很快把黑头喂了起来，个子长得飞快，一年成大狗，两年大得吓人，它那黑脑袋竟比小孩的脑袋还大，白牙更尖，红舌更长。它很少叫，商大爷明白，咬人的狗都不叫，所以从不叫它出门，即便它不咬人，也怕它吓着人。

其实黑头很懂人事，它好像知道自己模样凶，绝不出院门，也绝不进房门，整天守在院门里房门外。每有客人来串门，它必趴下，把半张脸埋在前爪后边，不叫人看，怕叫人怕，耳朵却竖着，眼睛睁得挺圆，绝不像那种好逞能的家犬，一来人就咋呼半天。可是一天半夜有个贼翻墙进院，它扑过去几下就把那贼制服。它一声没叫，那贼却疼得吓得唧哇乱喊。这叫商大爷知道它不是吃闲饭的；看家护院，非它莫属。

1. 一号：一员，天津方言。

商大爷常说黑头这东西有报恩之心，很懂事，知道怎么“做事”。商大爷这种在老店里干了一辈子的人，讲礼讲面讲规矩讲分寸，这狗合他的性情，所以叫他喜欢。只要别人夸赞他的黑头，商大爷辄必眉开眼笑，好像人家夸他孩子。

可是，一次黑头惹了祸，而且是大祸。

那些天，商大爷家西边的厢房落架翻修，请一帮泥瓦匠和木工，搬砖运灰里里外外忙活。他家平时客人不多，偶尔来人串门多是熟人，大门向来都是闭着，从没这样大敞四开，而且进进出出全是生脸。黑头没见过场面，如临大敌，浑身的毛全竖起来。但又不能出头露面吓着人，便天天猫在东屋前，连盹儿也不敢打。七八天过去，老屋落架，刨槽下桩，砌砖垒墙，很快四面墙和房架立了起来。待到上梁那天，商大爷请人来在大梁上贴了符纸，拴上红绸，众人使力吆喝，把大梁抬上去摆正，跟着放一大挂雷子鞭，立时引来一群外边看热闹的孩子连喊带叫，拥了进来。

黑头以为出了事，突然腾身蹿跃出来，孩子们一见这黑头花身、张牙舞爪、凶神恶煞般的怪物，吓得转身就跑。外边的往里拥，里边的往外挤，在门里门外砸成一团，跟着就听见孩子又叫又哭。

商大爷跑过去一瞧，一个邻居家的男孩儿被挤倒，脑袋撞上石头门墩儿，开了口子冒出血来。邻居家大人赶来一看不高兴了，迎面给商大爷来了两句："使狗吓唬人——嘛人？"

商大爷是讲礼讲面的人，自己缺理，人家话不好听，也得受着。一边叫家里人陪着孩子去瞧大夫，一边回到院里安顿受了惊扰的修房的人。

这时，扭头一眼瞧见黑头，心火冒起，拾起一根杆子两步过去，给黑头狠狠一杆子，骂道："畜生就是畜生，我一辈子和人好礼好面，你把我面子丢尽了！"

黑头挨了重重一击，本能地蹿起，呲牙大叫一声，那样子真凶。商大爷正在火头上，并不怕它，朝它怒吼："干嘛，你还敢咬我？"

黑头站那儿没动，两眼直对商大爷看着，忽然转身夺门而去，一溜烟儿就跑没了。商大爷把杆子一扔说："滚吧，打今儿别再回来，原本不就是条丧家犬吗？"

黑头真的没再回来。打白天到夜里，随后一天两天三天过去，影儿也不见。商大爷心里觉得好像缺点嘛，嘴里不说，却忍不住总到门外边张望一下。这畜生真的一去不回头了吗？

又过两天，西边的房顶已经铺好苇笆，开始上泥铺瓦。院门敞着，黑头忽然出现在门口。这时候，商大爷去隆昌上班了，工人都盯着手里的活儿，谁也没注意到它。

黑头两眼扫一下院子，看见中间有一堆和好的稀泥，突然它腿一使劲，朝那堆稀泥猛冲过去，“噗”地一头扎进泥里，用劲过猛，只剩下后腿和尾巴留在外边。这一切没人瞧见。

待商大爷下晌回来，工人收工时，有人发现这泥里毛乎乎的东西是嘛呢，拉出来一看，大惊失色，原来是黑头，早断了气，身子都有点发硬了。它怎么死在这儿，嘛时候死的，是邻居那家弄死后塞在这儿的吗？

大伙猜了半天说了半天，谁也说不清楚。半天没说话的商大爷的一句话，把这事说明白了：“我明白它，它比我还要面子，它这是自我了结。”随后又感慨地说，“唉，死还是要死在自己家里。”

行路宜慎

《醒俗画报》图画

行路宜慎
日前有青年會送信人某甲、行經南門外地方、因躲避電車、被自行車撞倒、車從身上軋過、當經崗警將騎自行車者申飭一番、復由旁觀人極力勸解、始行了結云、（新）

妖言惑众

《醒俗画报》图画

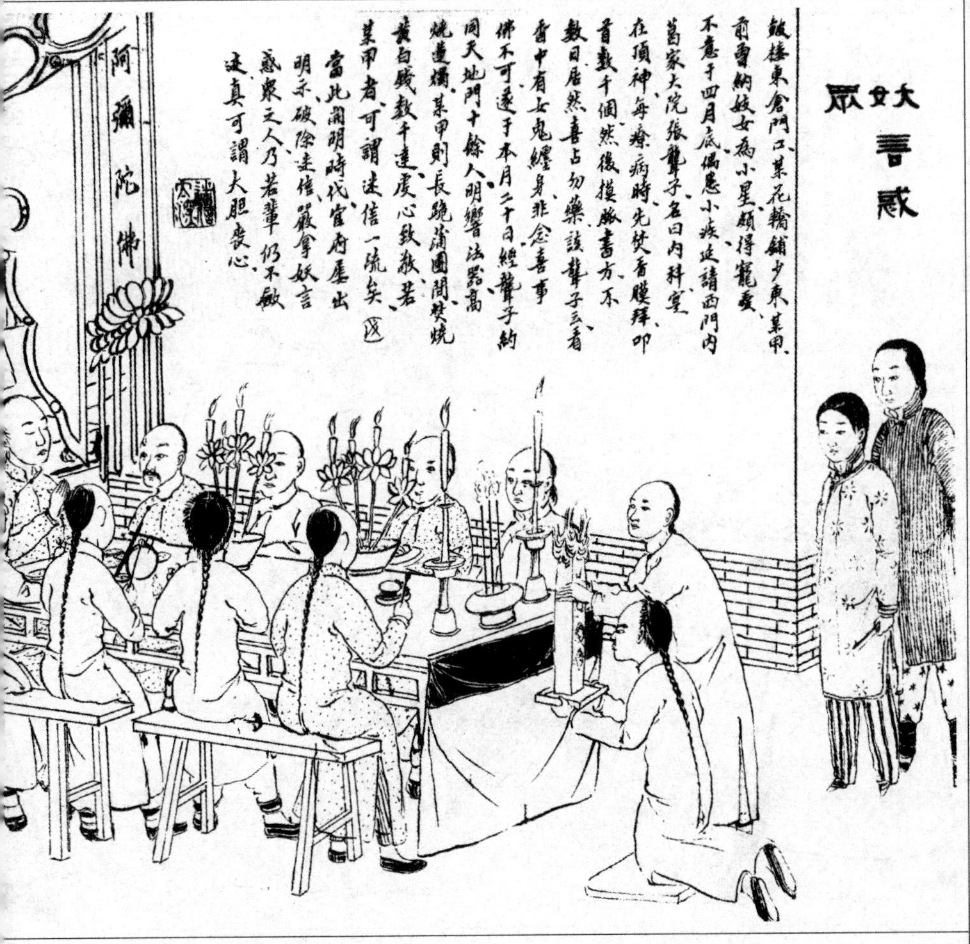

妖言惑衆
鈸樓東倉門口、某花轎鋪少東某甲、
前曾納妓女為小星、頗得寵愛、
不意于四月底、偶患小疾、延請西門内
葛家大院張聾子、名曰内科、室
在頂神、每療病時、先焚香膜拜叩
首數千個、然後摸脈、書方、不
數日居然、喜占勿藥、該聾子云、看
香中有女鬼纏身、非念喜事
佛不可、遂于本月二十日、經聾子約
同天地門十餘人、明響法器、高
燒蠟燭、某甲則長跪蒲團間、焚燒
黃白錢數千遝、虔心致敬、若
某甲者、可謂迷信一流矣
當此開明時代、官府屢出
明示、破除迷信、嚴拿妖言
惑衆之人、乃若輩仍不斂
迹、真可謂大胆喪心
阿彌陀佛

老夫可悯

《醒俗画报》图画

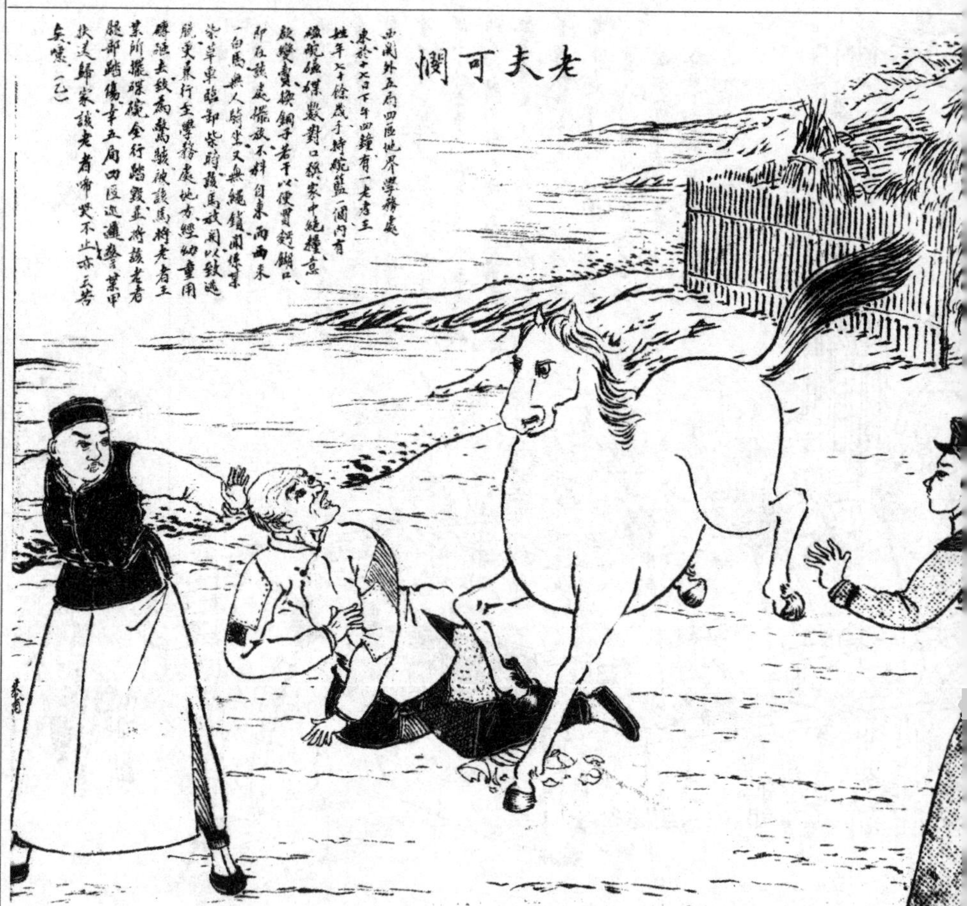

老夫可憫
西関外五府四區地界學務處
東於十六日下午四鐘有一老者王
姓年七十餘歲手持碗籃一個內有
磁碗磁碟數對口係家中絕糧意
欲變賣換銅子若干以便買饃餬口
即在該處擺放不料自東而西來
一白馬無人騎坐又無繩韁鬧係某
柴草車臨卸柴時該馬被鬧以致逃
脫更兼行至學務處地方經幼童鬧
轉頭去致為驚駭被該馬將老者王
某所擺碟碗全行踏毀並將該老者
腿部踏傷幸五局四區巡警某甲
扶送歸家該老者啼哭不止亦云苦
矣哉（乙）

神医王十二

神醫王十二

天津卫是码头。码头的地面疙疙瘩瘩可不好站，站上去，还得立得住，靠嘛呢——能耐？一般能耐也立不住，得看你有没有非常人所能的绝活儿。换句话说，凡是在天津站住脚的，不管哪行哪业，全得有一手非凡的绝活儿，比方瞧病治病的神医王十二。

要说那种"妙手回春"的名医，城里城外一捡一筐，可这只是名医而已，王十二人家是神医。神医名医，一天一地。神在哪儿，就是你身上出了毛病，急病，急得要死要活，别人没法儿，他有法儿，而且那法儿可不是原先就有的，是他灵光一闪，急中生智，信手拈来，手到病除。

王十二这种故事多着呢，这儿不多说，只说两段。一段在租界小白楼，一段在老城西马路。先说租界这一段。

这天王十二在开封道上走，忽听有人尖叫。一瞧，一个在道边套烟筒的铁匠两手捂着左半边脸，痛得大喊大叫。王十二疾步过去问他出了嘛事，这铁匠说："铁渣子迸进眼睛里了，我要瞎了！"王十二说："别拿手揉，愈揉扎得愈深，你手拿开，睁开眼叫我瞧瞧。"铁匠松开手，勉强睁开眼，一小块黑黑的铁渣子扎在眼球子上，冒泪又流血。

王十二抬起头往两边一瞧，这条街全是各样的洋货店，王十二喜好洋人新鲜的玩意儿，常来逛。他忽然目光一闪，也是灵光一闪，只听他朝着铁匠大声说："两手别去碰眼睛，我马上给你弄出来！"扭身就朝一家洋杂货店跑去。

王十二进了一家洋货店的店门，伸出右手就把挂在墙上一样东西摘下来，顺手将左手拿着的出诊用的绿绸包往柜台上一撂，说："我拿这包做押，借你这玩意儿用用，用完马上还你！"话没说完，人已夺门而出。

王十二跑回铁匠跟前说："把眼睁大！"铁匠使劲一睁眼，王十二也没碰他，只听叮的一声，这声音极轻微也极清楚，跟着听王十二说："出来了，没事了。你眨眨眼，还疼不疼？"铁匠眨眨眼，居然一点不疼了，跟好人一样。再瞧，王十二捏着一块又小又尖的铁渣子举到他面前，就是刚在他眼里那块要命的东西！不等他谢，王十二已经转身回到那洋货店，跟着再转身出来，胳肢窝夹着那个出诊用的绿绸包朝着街东头走了。铁匠朝他喊："您用嘛法给我治好的？我得给您磕头呵！”王十二头也没回，只举起手摇了摇。

铁匠纳闷，到洋货店里打听。店员指着墙上边一件东西说：“我们也不知道是怎么回事，他就说借这东西用用，不会儿就送回来了。”

铁匠抬头看，墙上挂着这东西像块马蹄铁，可是很薄，看上去挺讲究，光亮溜滑，中段涂着红漆；再看，上边没钉子眼儿，不是马蹄铁。铁匠愈瞧愈不明白，问店员道：“洋人就使它治眼？”

店员说：“还没有听说它能治眼！这是个能吸铁的物件，洋人叫吸铁石。”店员说着从墙上把这东西摘下来，吸一吸桌上乱七八糟的铁物件——铁盒、铁夹子、钉子、钥匙，还有一个铁丝眼镜框子，竟然全都叫它吸在上边，好赛[1]有魔法。铁匠头次看见这东西——见傻。

原来王十二使它把铁匠眼里的铁渣子吸下来的。

可是，刚刚那会儿，王十二怎么忽然想起用它来了？

神不神？神医吧。再一段更神。

这段事在老城西那边，也在街上。

1. 赛：天津方言，有“像”或“似”之意。

那天一辆运菜的马车的马突然惊了，横冲直撞在街上狂奔，马夫吆喝拉缰都弄不住，街两边的人吓得往两边跑，有胡同的地方往胡同里钻，没胡同的往树后边躲，连树也没有的地方就往墙根扎。马奔到街口，迎面过来一位红脸大汉，敞着怀，露出滚圆锃亮的肚皮，一排黑胸毛，赛一条大蜈蚣趴在当胸。有人朝他喊："快躲开，马惊了！"

谁料这大汉大叫："有种往你爷爷胸口上撞！"看样子这汉子喝高了。

马夫急得在车上喊："要死人啦！"

跟着，一声巨响，像撞倒一面墙，把大汉撞飞出去，硬摔在街边的墙上，好像紧紧趴在墙上边。马车接着往前奔去，大汉虽然没死，却趴在墙上下不来了，他两手用力撑墙，人一动不动，难道叫嘛东西把他钉在墙上了？

人们上去一瞧，原来肋叉子撞断，断了的肋条穿皮而出，正巧插进砖缝，撞劲太大，插得太深，拔不出来。大汉痛得急得大喊大叫。

一个人嚷着："你再使劲拔，肚子里的中气散了，人就完啦！"

另一个人叫着："不能使劲，肋叉子掰断了，人就残了！"

谁也没碰过这事，谁也没法儿。

大汉叫着："快救我呀，我这个王八蛋要死在这儿啦！"声音大得震耳朵。有几个人撸袖子要上去拽他。

这时，就听不远处有人叫一声："别动，我来。"

人们扭头一瞧，只见不远处一个小老头朝这边跑来。这小老头光脑袋，灰夹袍，腿脚极快。有人认出是神医王十二，便说："有救了。"

只见王十二先往左边，两步到一个剃头摊前，把手里那出诊用的小绿绸包往剃头匠手里一塞说："先押给你。"顺手从剃头摊的架子上摘下一块白毛巾，又在旁边烧热水的铜盆里一浸一捞，便径直往大汉这边跑来。他手脚麻利，这几下都没耽误工夫，手里的白手巾一路滴着水儿、冒着热气儿。

王十二跑到大汉身前，左手从后边搂大汉的腰，右手把滚烫的湿手巾往大汉脸上一捂，连鼻子带嘴紧紧捂住，大汉给憋得大叫，使劲挣，王十二死死搂着捂着，就是不肯放手。大汉肯定脏话连天，听上去却呜呜的赛猪嚎。

只见大汉憋得红头涨脸，身子里边的气没法从鼻子和嘴巴出来，胸膛就鼓起来，愈鼓愈大，大得吓人，只听“砰”的一声，钉在墙缝里的肋叉子自己退了出来。王十二手一松，大汉的劲也松了，浑身一软，坐在地上，出了一声：“老子活了。”

王十二说：“赶紧送他瞧大夫去接骨头吧。”转身去把白手巾还给剃头匠，取回自己那出诊用的绿绸包走了，好赛嘛事没有过。

可是在场的人全看得目瞪口呆。只一位老人看出门道，他说：“王十二爷这法儿，是用这汉子自己身上的劲把肋条从墙缝里抽出来的。外人的劲是拗着自己的，自己的劲都是顺着自己的。”这老人寻思一下又说，“可是除去他，谁还能想出这法子来？”

人想不到的只有神，所以天津人称他神医王十二。

《醒俗画报》图画

割鸡自毙

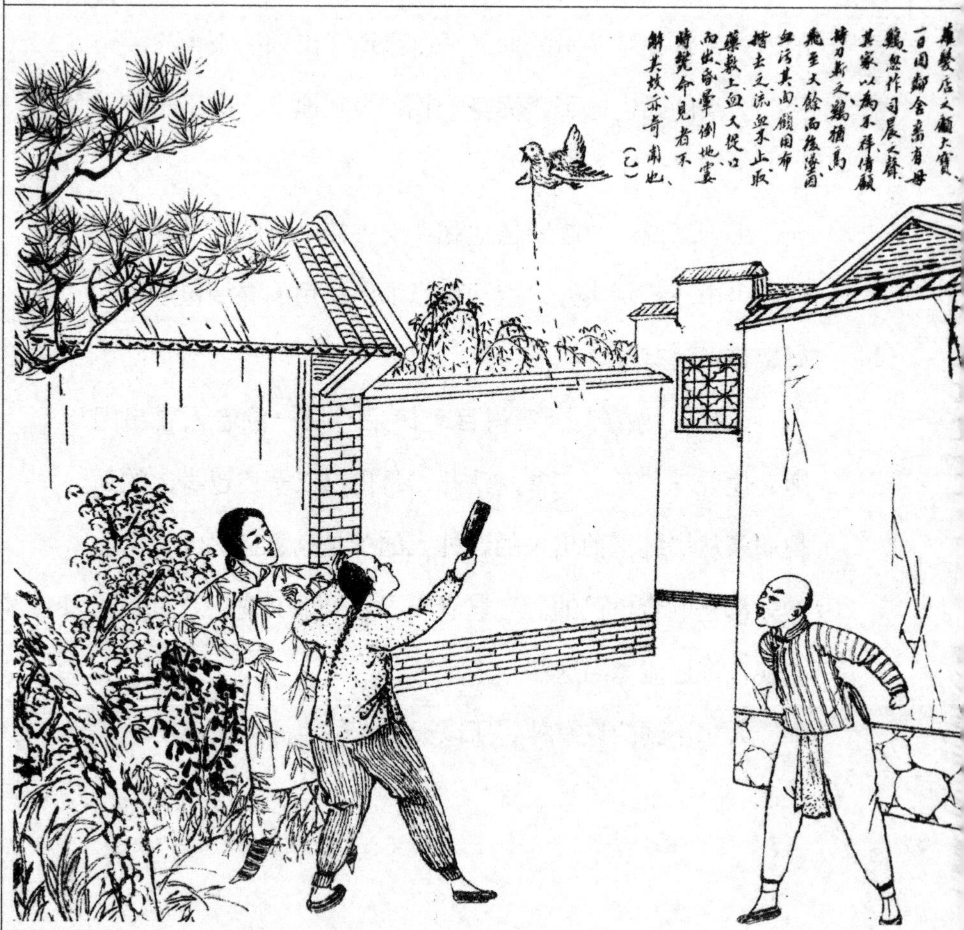

薙髮店之顧大寶、
一日因鄰舍畜有母
雞、忽作司晨之聲、
其家以為不祥、倩顧
持刀斬之、雞猶高
飛至丈餘而後墜、
血污其面、顧用布
揩去之、流血不止、取
藥敷上、血又從口
而出、昏暈倒地、霎
時斃命、見者不
解其故、亦奇聞也、
（乙）

《醒俗画报》图画

乘车宜慎

乘車宜慎
日前府署西
杉房胡同口、
有某氏婦乘
坐洋車，行經
該處，車夫偶未
留神，將坐車
之婦人摔於
車下，砸傷
甚重，當經
崗警聞知、
向前問明情
由，令車夫取
保暫釋，將
該婦人送回

赔洋了结

《醒俗画报》图画

賠洋了結
日昨晚四鐘、
金華橋
南有某甲乘
騎而來、
偶未留神、致
從馬上
跌下、正摔在騎
自行車
人身上、當將騎
車人手
持之話匣子砸
壞、其時
嗣有魯仲連輩、
為之說
合、令出洋十元
賠償毀
之物、始行了結、
(丙)

皮大嘴

皮大嘴

一个地界富不富看哪儿？看吃看穿看玩看乐？那都是浮头表面的，要看还得看钱号票庄银楼金店是多是少——顶要紧的是看金店。那些去银行钱号存钱的人未必富，真正的富人是有钱花不了。钱太多了怎么办，存起来藏起来是傻瓜，想一想——要给小偷偷了呢？家里着火烧了呢？受潮烂了呢？虫蛀鼠咬了呢？市面不景气钱毛了呢？顶好的法子还是买金子。金子烂不了、啃不动、烧不坏，金子永远是金子，金子比钱值钱。

买金子的人多金店就多。天津卫金店多，所以天津卫富。

可是，开金店的谁不想当头一号，彼此必有一争，于是八仙过海，各显奇能；群英打擂，各出奇招。

北门里的义涌金店先出高招，迎大厅摆一个菜篮子大的镏金元宝，上边刻六个隶书大字“摸元宝，运气好”，引得人们不买金子也要进门去摸一下，沾沾财气运气。做买卖要的就是人气儿，人多火爆，义涌出了名。可是天天不停地摸来摸去，就把上边挺薄的一层镏金摸掉，露出里边的黄铜。铜一出来，就没人摸了。就像过时的名人，名来得快去得也快，去了就不再来，那滋味反不如没名。

没多久，宫北的宝成金店出了一招，就来得实惠。你到它店里买金条，它送你一副真金的眼镜架，这比摸元宝强，摸是空的，金镜架不空，金光闪闪架在脸上，挺气派，有身份。可是人家宝成金店的眼镜架不是白送的，谁想要金眼镜架谁就得买金条，真正得实惠的还是人家金店老板，这叫“买的不如卖的精”。但这一招很快被日租界的物华楼学去。你送金镜架，我送大金牙。物华楼金店还请来一位牙医在柜台前给买金子的“没牙佬”镶金牙。那时镶金牙时髦，有人为了来镶金牙先拔个牙，这种人愈来愈多也麻烦，物华楼金店快成牙店了，店里边到处张嘴呲牙，等着拔牙镶牙；甭说好看不好看，气味也不好闻呵。

更有奇招的是马家口的三义金店，店铺设在租界里，老板脑子活，好新鲜事，常打洋人那里学些洋招。他看出洋人广告的厉害，花钱不多，能做到无人不知无人不晓。他便在租界找人画了一张时髦的广告纸，再找一位肚子里有墨水的先生给他写了一段赛绕口令式的广告词：“存地存房子，不如存金子，哪儿金子纯，三义纯金子”。再把这广告纸拿到富华石印局里印了三千张，然后叫伙计们用上十天工夫打租界一直贴到北大关，跟着城里城外河东水西宫南宫北，墙头门柱灯杆树干车皮轿厢，就像光绪二十六年义和拳的揭帖，贴满天津城，在哪儿都能瞧见。可是广告不能总贴，五天旧了，十天破了，半个月晒掉色了，一阵雨不像样了，一阵风刮跑了。这招还是没奇到家。

天津有位说相声的叫皮大嘴，单看模样就可乐。个子高又瘦，手小脚小脑瓜小。圆圆小脑袋像杆子上挂的小灯笼，更怪的是——嘴大。他脑袋小嘴大，远看只剩下一张嘴了，所以绰号皮大嘴。

皮大嘴能说，死人能说活，张口就来，随处“现挂”，妙趣横生，很早就在三不管一带说单口相声出了名。能说的人都能编，凡是皮大嘴编的说的故事，都能口口相传。原本天津相声一行挺看好他，谁料他天天想发财。天津卫财主多，他看得眼馋。开头，他赚钱的法子是一边说相声一边卖药糖，说一段相声卖一会儿糖；嘴里嚼糖耳朵听相声，两不耽误挺舒服，单用这法儿他就赚不少钱。后来变了法子，说一段相声卖一会儿从租界弄来的洋凳子，洋凳子不单新奇好玩，还松松软软像个猪屁股，坐在凳子上听相声，舒服还有乐子，听完相声就忍不住把洋凳子买走了。皮大嘴脑袋灵活，脑子愈灵的人愈好做买卖。逢到雨天卖洋伞，遇到晴天卖太阳帽。那时候只要是洋货就有人买，他手里渐渐也就有了钱。有了钱，开饭店，饭店赚现钱。吃饭的人一半来吃一半听他说。凭皮大嘴的嘴加上他的脑袋，怎么干怎么来钱。三年过后，他居然在东北角干起一家金店。这时候，天津卫已经有九九八十一家金店，各家金店为了争头抢先，连吃奶的劲儿都使出来了，他能一炮打响？

皮大嘴在装潢店面时，就使出了一招绝的，叫作“满堂金”。据说他这店从里到外全是金的。从门把、门锁、门链、灯罩、拉手、栏杆、挂钩、算盘、笔杆、花盆，连茅厕里的水龙头、脸盆，连往里边拉屎撒尿的圆圆的洋便桶全是金的。有人说不是纯金是镏金，可这些金光闪闪的东西全都镏金也够惊人吓人。

皮大嘴给他的金店起的名字，就是金满堂。金满堂，满堂金。金店没开门，已经是隔着大门吹号——名声在外。有人信，有人摇头不信。

开张这天，门外挂灯悬彩，院子里摆宴，皮大嘴穿一身新，格外精神；还打租界请来洋乐队，洋鼓洋号，折腾得热热闹闹。那圆圆的亮晃晃的大洋号叫得震人耳朵。

来的宾客比请的多，人人都想看看皮大嘴的“满堂金”是假是真。结果出个笑话：

估衣街上一个绸缎庄的小老板前去祝贺，心里头却是想摸摸金满堂的虚实，到了金楼里里外外一看，傻了，真是哪儿哪儿全是金煌煌，照花了眼，也开了眼。中晌吃饭时，凑到一些熟人堆里一闹一喝，愈闹愈喝，喝得头晕脑涨，脸皮发烧，晃晃悠悠到茅厕里，朝着金马桶里撒泡热尿，出门叫个胶皮车拉他回家。回去进门倒下死了一般睡一大觉，直到转天太阳晒屁股才睁开眼。他老婆问：“昨个儿你见到‘满堂金’了吗？是真的吗？”

小老板说：“一点不假！哪儿哪儿全是金子做的，那个洋马桶也是金子做的，我还往里边撒了一泡尿呢！”

他老婆说：“你往金子里尿尿？我不信。”

小老板说：“不信你自个儿去看去问。”

事后，他老婆还是疑惑，愈疑惑愈不信，就拔腿跑到东北角的金满堂一看，门把果真是金的；推门再看，到处金光照眼。她问店里的小伙计：“我当家的说你们店里茅厕的马桶也是金的。我说他唬我，他说他还往里边撒一大泡尿呢！”

这小伙计一听一怔，瞪大眼看她半天，然后扭身跑去对老板皮大嘴说：“掌柜的，昨天中晌往洋乐队那个大洋号里尿尿的人，我知道是谁了。”

这事谁听了都一阵大笑。

这笑话传出去，不胫而走，口口相传，人人知道人人说。这一说，不管是褒是贬，全天津的人没人不知“金满堂”了。笑话帮了皮大嘴的忙。

可是圈里的人都能听出这笑话是皮大嘴自己编的。这哪是笑话，纯粹是个相声段子。有铺垫，有包袱，出其不意，还逗乐，这便不得不佩服皮大嘴，编个段子，借众人的嘴，给自己扬了大名，肯定还得发财。

好行其德

《醒俗画报》图画

官乎盗乎

官乎盗乎
江蘇泰屬塘頭地方于姓
家上燈時
分忽有練蛇大輪二乘並
有護勇數
隸多人擁門投刺聲稱由
京而來有
要事面商詎料方進大門
隨即將大
門緊閉于家正在猜疑之
際一班惡
客忽改其本來面目用繩
將其家人
一一縛束大肆搶掠呼嘯
而去現已
報明江都縣令不知若何
辦法（壬）

滑稽画

《醒俗画报》图画

滑稽畫
具有兩副臉。
方可作好官。
金面鐵面由
我變。世間人
命同草菅。
醒華
第六十三期
行所河東奧界大馬路

黄金指

黄金指

黄金指这人有能耐，可是小肚鸡肠，容不得别人更强。你要比他强，他就想着法儿治你，而且想尽法子把你弄败弄死。

这种人在旁的地方兴许能成，可到了天津码头上就得栽跟头了。码头藏龙卧虎，能人如林，能人背后有能人，再后边还有更能的人，你知道自己能碰上嘛人？

黄金指是白将军家打南边请来帮闲的清客。先不说黄金指，先说白将军——

白将军是武夫，官至少将。可是官做大了，就能看出官场的险恶。解甲之后，选中天津的租界作为安身之处；洋楼里有水有电舒舒服服，又是洋人的天下，地方官府管不到，可以平安无事，这便举家搬来。

白将军手里钱多，却酒色赌一样不沾，只好一样——书画。那年头，人要有钱有势，就一准有人捧。你唱几嗓子戏，他们说你是余叔岩；你写几笔烂字儿，他们称你是华世奎，甚至说华世奎未必如你。于是，白将军就扎进字画退不出身来。经人介绍，结识了一位岭南画家黄金指。

黄金指大名没人问，人家盯着的是他的手指头。因为他作画不用毛笔，用手指头。那时天津人还没人用手指头画画。手指头像个肉棍儿，没毛，怎么画？人家照样画山画水画花画叶画鸟画马画人画脸画眼画眉画樱桃小口一点点。这种指头画，看画画比看画更好看。白将军叫他在府中住了下来，做了有吃有喝、悠闲享福的清客，还赐给他一个绰号叫“金指”。这绰名令他得意，他姓黄，连起来就更中听：黄金指。从此，你不叫他黄金指，他不理你。

一天，白将军说：“听说天津画画的，也有奇人。”

黄金指说：“我听说天津人画寿桃，是脱下裤子，用屁股蘸色坐的。”

白将军只当笑话而已。可是码头上耳朵连着嘴，嘴连着耳朵。三天内这话传遍津门画坛。不久，有人就把话带到白将军这边，说天津画家要跟这位使“爪子”画画的黄金指会会。白将军笑道：“以文会友呵，找一天到我这里来画画。”跟着派人邀请津门画坛名家。一请便知天津能人太多，还都端着架子，不那么好请。最后应邀的只有二位，还都不是本人。一位是一线赵的徒弟钱二爷；一位是自封黄二南的徒弟唐四爷，据说黄二南先生根本不认识他。

钱二爷的本事是画中必有一条一丈二的长线，而且是一笔画出，均匀流畅，状似游丝。唐四爷的能耐是不用毛笔也不用手作画，而是用舌头画，这功夫是津门黄二南先生开创。

黄金指一听就傻了，再一想头冒冷汗。人家一根线一丈多长，自己的指头绝干不成；舌画连听也没听过，只要画得好，指头算嘛？

正道干不成，只有想邪道。他先派人打听这两位怎么画，使嘛法嘛招，然后再想出诡秘的招数叫他们当众出丑，破掉他们。很快他就摸清钱、唐二人底细，针锋相对，想出奇招，又阴又损，一使必胜。黄金指真不是寻常之辈。

白府以文会友这天，好赛做寿，请来好大一帮宾客，个个有头有脸。大厅中央放一张奇大画案，足有两丈长，文房四宝，件件讲究又值钱。待钱、唐二位到，先坐下来饮茶闲说一阵，便起身来到案前准备作画，那阵势好比打擂台，比高低，分雌雄，决生死。

画案已铺好一张丈二匹的夹宣，这次画画预备家伙材料的事，都由黄金指一手操办。看这阵势，明明白白是想先叫钱、唐露丑，自己再上场一显身手。

钱二爷一看丈二匹，就明白是叫自己开笔，也不客气走到案前。钱二爷人瘦臂长，先张开细白手掌把纸从左到右轻轻摸一遍，画他这种细线就怕桌子不平纸不平。哪儿不平整，心里要有数。这习惯是黄金指没料到的。钱二爷一摸，心里就咯噔一下。知道黄金指做了手脚，布下陷阱，一丈多长的纸下至少三处放了石子儿。石子儿虽然只有绿豆大小，笔墨一碰就一个疙瘩，必出败笔。他嘴没吭声，面无表情，却都记在心里，只是不叫黄金指知道他已摸出埋伏。

钱二爷这种长线都是先在画纸的两端各画一物，然后以线相连。比方这头画一个童子，那头画一个元宝车，中间再画一根拉车的绳线，便是《童子送宝》；这头画一个举着鱼竿的渔翁，那头画一条出水的大红鲤鱼，中间画一根光溜溜的鱼线牵着，就是《年年有余》。今天，钱二爷先使大笔在这头下角画一个扬手举着风车的孩童，那头上角画一只飘飞的风筝，若是再画一条风中的长线，便是《春风得意》了。

只见钱二爷在笔筒中择支长锋羊毫，在砚台里浸足墨，长吸一口气，存在丹田，然后笔落纸上，先在孩童手里的风车上绕几圈，跟着吐出线条，线随笔走，笔随人走，人一步步从左向右，线条乘风而起，既画了风中的线，也画了线上的风；围看的人都屏住气，生怕扰了钱二爷出神入化的线条。这纸下边的小石子在哪儿，也全在钱二爷心里，钱二爷并没叫手中飘飘忽忽的线绕过去，而是每到纸下埋伏石子儿的地方，则再提气提笔，顺顺当当不出半点磕绊，不露一丝痕迹，直把手里这根细线送到风筝上，才收住笔，换一口气说："献丑了。"立即赢得满堂彩。钱二爷拱手答谢，却没忘了扭头对黄金指说："待会儿，您使您那根金指头也给大伙画根线怎样？"

黄金指没答话，好似已经输了一半，只说："等着唐四爷画完再说。"脸上却隐隐透出点杀气来。他心里对弄垮使舌头画画的唐四爷更有根。

黄金指叫人把钱二爷的《春风得意》撤下，换上一张八尺生宣。

舌画一艺，天津无人不知，可租界里外边来的人，头次见到。胖胖的唐四爷脸皮亮脑门亮眼睛更亮，他把小半碗淡墨像喝汤喝进嘴里，伸出红红舌头一舔砚心的浓墨，俯下身子，整张脸快贴在纸上，吐舌一舔纸面，一个圆圆梅花瓣留在纸上，有浓有淡，鲜活滋润，舔五下，一朵小梅花绽放于纸上；只见他，小红舌尖一闪一闪，朵朵梅花在纸上到处开放，甭说这些看客，就是黄金指也呆了。白将军禁不住叫出声："神了！"这两字叫黄金指差点厥过去。他只盼自己的绝招快快显灵。

唐四爷画得来劲，可愈画愈觉得墨汁里的味道不对，正想着，又觉味道不在嘴里，在鼻子里。画舌画，弯腰伏胸，口中含墨，吸气全靠鼻子，时间一长，喘气就愈得用力，他嗅出这气味是胡椒味；他眼睛又离着纸近，已经看见纸上有些白色的末末——白胡椒面。他马上明白有人算计他，赶紧把嘴里含的墨水吞进肚里，刚一直身，鼻子眼里奇痒，赛一堆小虫子在爬，他心想不好，想忍已经忍不住了，跟着一个喷嚏打出来，霎时间，喷出不少墨点子，哗地落了下来，糟蹋了一张纸一幅画。眼瞧着这是一场败局和闹剧。黄金指心里开花。

众人惊呆。可是只有唐四爷一人若无其事，他端起一碗清水，把嘴里的墨漱干净吐了，再饮一口清水，像雾一样喷出口中，细细淋在纸上，跟着满纸的墨点渐渐变浅，慢慢洇开，好赛满纸的花儿一点点张开。唐四爷又在碟中慢慢调了一些半浓半淡的墨，伸舌蘸墨，俯下腰脊，扭动上身，移动下体，在纸上画出纵横穿插、错落有致的枝干，一株繁花满树的老梅跃然纸上。众人叫好一片，更妙的是唐四爷最后题在画上的诗，借用的正是元代王冕那首梅花诗：

吾家洗砚池头树，
个个花开淡墨痕。
不要人夸好颜色，
只留清气满乾坤。

白将军欣喜若狂："唐四爷，刚才您这喷嚏吓死我了。没想到这张画就是用喷嚏打出来的。"

唐四爷微笑道："这喷嚏在舌画中就是泼墨。"

白将军听过"泼墨"这词，连连称绝，扭头再找黄金指，早没影儿了。

从此，白府里再见不到黄金指，却换了二位清客，就是这一瘦一胖一高一矮——钱、唐二位了。

烧香挨摔

《醒俗画报》图画

燒香挨摔
廂白漢旗官員初十日下午約
集大眾在齊化門外北
馬道練習馬槍未跑馬之先
大家向馬道中燒一箍
況定高香然後上馬不料剛
跑了四位官員某參領
就由馬上摔下一時觀者均
歎為燒香無益云
按本報昨載某姓為小兒
種痘因謝神燒紙
致起大哭是敬神之效已
可見矣況近日城
廂內外因燒香失火者尤
不一而足現值風
乾物燥之時奉勸善男信
女及迷信官員務
力返迷途或慎協悟或不
致轉干天怒而使
大神爺隨便下界也則居
鄰尤受惠多多矣

《醒俗画报》图画

画虎不成

第肆拾捌页

四十八样

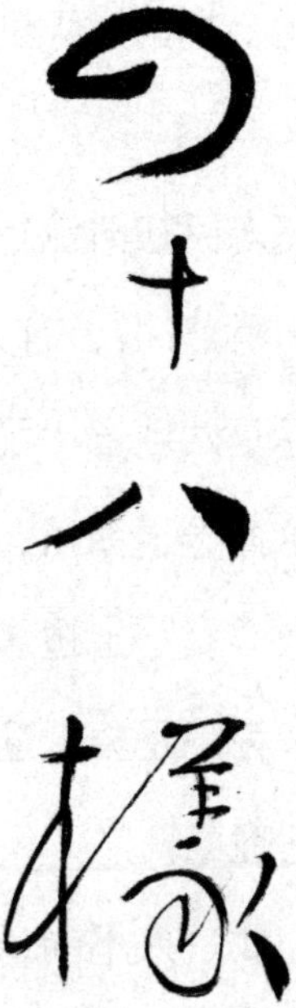

天津人灵，把药材弄到糖里，好吃又治病，这糖叫作药糖。

药糖在清末民初时流行起来，传到北京，广受欢迎。买卖二字，一因一果，有人吃就有人做，有人买就有人卖。于是，津京两地冒出了不少能人干这事，一是想出法儿来把各种草药弄进糖里，各色各味好看好吃的药糖愈来愈多；一是在“卖”上边想尽花活儿，或用说功唱功，或使江湖杂艺，为的是招人迎人取悦于人，叫人高高兴兴掏钱把药糖撂到嘴里。

天津人和北京人不同，卖药糖的法儿也不同。北京是官场，人们心里边全是大大小小的官儿，喜欢官场的是是非非。故此，在天桥卖药糖的“大兵黄”最招人的一手是骂官。站在那儿，破口大骂，从段祺瑞到张勋再到袁世凯，哪个官大骂哪个，别人不敢骂的他敢骂。他的糖自然卖得好。

天津是市井，百姓心里边就是生活——吃喝玩乐，好吃好喝好玩和有乐子的事都喜欢，还爱看绝活儿，这卖药糖的本事就五花八门了。有说段子的，有说快板的，有变戏法的，有献演武功杂耍车技打弹弓子的，连吆喝起来都有腔有调一套一套。

鼓楼前有个卖药糖的叫俞六，宝坻县人，脑瓜好使，两只手特别能干。他和别人不一样，他的功夫不在“卖”上，都在“糖”里边。他在家门口摆摊卖药糖，不说不唱不吆喝，就在一个桌上摆几排长长的带木框的玻璃盒子，中间隔开，每格里边一种糖，上边是镶玻璃的盒盖，隔着透明的盒盖看得见各色的药糖；你买哪样，他就掀开哪个盒盖，使镊子夹出几块，放进纸兜给你，没有花样，不会哄人高兴。可是他的糖好——色艳，味厚，有模有样，味道各异，不单有各种药材如茶膏、丹桂、鲜姜、红花、玫瑰、豆蔻、橘皮、砂仁、莲子、辣杏仁、薄荷，还把好吃的蔬果也掺和进去，比方鸭梨、桃子、李子、柿子、枇杷、香蕉、樱桃、酸梅、酸枣、西瓜等等。可是做买卖单靠真材实料不行，还得会卖。虽说他的药糖样儿最多，最全，总共四十八样，可是只摆在自家门口，这城里城外能有几个人知道？一提天津卫卖药糖的，第一王宝山，第二李傻子，第三连化清，一直往下数到大沽口，也瞧不见俞六的影子。

他的一个街坊刘二爷是位老到的人，读过书没当过官，做买卖赚点钱，早早收手在家坐享清福。一天碰到俞六便说："你会做糖却不会卖糖。你不能总守在家门口摆摊呀。"

俞六说："我也想走街串巷，可我嘴笨，说说唱唱全不会，也没别的功夫招人喜欢。"

刘二爷说："人家有的，你未必再有，学人家就不是绝活儿了。你不是本地人不知道，天津人认绝活儿，服绝活儿。"

俞六说："可这绝活儿哪儿找去？"

刘二爷说："没处找。绝活儿一是琢磨出来的，一是练出来的。"

"咋学咋练？"俞六还没全明白。

刘二爷笑道："要我说，琢磨——你就得琢磨使嘛新鲜玩意儿把你这四十八样亮出来；练——你就得琢磨使嘛法子招人来买。比方，你能不能不使镊子，天津卫卖药糖的手里全捏着这么个东西。"

俞六不是木头疙瘩。这两句话点石成金。没多久，俞六把刘二爷请到家喝杯茶，吃几块药糖，然后领刘二爷到后院一看，刘二爷立马眼前一亮。院中间放一个挑儿，一根扁担，两个桶柜，柜子上是一圈放药糖的小方盒，每个盒里一种糖。盒上边有个盖儿，带合页，可以掀；这一圈小盒总共二十四个，两个桶柜正好四十八样。

桶柜的捯饬前所未见。提梁上边各雕一个龙头，龙面相向，瞪眼呲牙，横梁正中一个锃亮的金珠，这叫二龙戏珠。龙头上还伸出两根弹簧，拴着红绒球，为的是挑起来一走，绒球就随着脚步一颠一颤。不知俞六从哪儿请来一位好漆工，把桶柜漆得油黑锃亮，上边使金漆写着“俞家药糖，四十八样”八个大字。每个糖盒的玻璃盖上还全用红漆写上糖名，玻璃盖下的药糖五颜六色。这样的药糖柜在街上一晃，保管全震！刘二爷看得高兴，夸赞道：“好赛从宫里挑出来的。”

跟着俞六演了一手“卖糖”把式。他左手拿个纸兜，右手的大拇指和食指捏个小铜勺——他可真不用镊子了。上去，绕着两个桶柜各转一圈，顺手用右手的无名指一挑盒盖，小铜勺就从盒里舀出一块糖到纸兜里；挑盒盖麻利无比，舀药糖灵巧之极，比得上变戏法的“快手刘”的小碗扣球。单看这“卖法”，不吃糖，花点钱也值了。

刘二爷从中看得出俞六的用心与练功之苦，高兴地说：“行了，你可以出山了，四十八样要成名了。”

第二天，俞六挑这挑子走出家门，城里城外，河东水西，宫南宫北，九个租界一转，立时名满津门。他还置了一身好行头，青裤白褂，皂鞋净袜；他挑着这对天下独有的花桶，一走一颤行在街头，还有洋人拿照相盒子给他照相呢。

可俞六没神气多久，就听说河东出现一个担挑卖药糖的，也用两个龙头漆桶，也叫“四十八样”，这一来，他的四十八样可就算不上独门绝技了。他心里发急，去找刘二爷请教。刘二爷说：“你不学人，可挡不住别人学你，你得叫人想学学不去，那才叫绝活儿。”

三个月后俞六亮出一个新把式，叫走八字。原先他从桶柜取糖时，右手拿勺，人总往里怀转，不好看；现在他改成走八字，从一个桶左面绕过去，再从另一个桶右面绕回来，桶和人位置一变，两只手的家伙跟手就换，就像皇会里茶炊子的换肩。这一改，走八字，两手换“活儿”，把式出了花样，别忘了——还能吃到他俞六四十八样色鲜味正的药糖呢！这点儿钱谁不想花？

可不久，听说又有人开始练这走八字的把式了。俞六憋了几个晚上，再想出一招，就在每个桶中间加几个糖盒，里边全是半块的糖。他想在四十八样外再奉送半块，这半块由买主自选，人家要哪样，他就上去一掀一舀取出哪样。

他拿着这个新主意去请教刘二爷。

刘二爷听了笑哈哈，说道："你这法子早晚还得给人学去。我送你一个法子吧。"说完，给他用纸写了几句词，递给俞六说："你也不用唱，只要背下来，走着八字时把它踩着点儿念出来就行了。"

俞六一看，是六句：

天津药糖家家好
四十八样数第一
一色一味块块香
再饶半块随您意
俞家能耐不传女
谁我儿子谁学艺

俞六不是天津人，不懂天津人这几句嘎话里，有打趣逗笑，也暗含着骂人，挺厉害。他心里有点疑惑。刘二爷看了出来，说："放心去用，不会再有人敢招你了。"

俞六说："您开头就帮我，已经多回了。这次成了，我管您一辈子药糖。"

第二天俞六卖糖走八字时，便把刘二爷这六句念一遍，一回生，二回熟，熟能生巧，渐渐跟上步点，走起来挺好看，像徐策跑城。买糖的人、围观的人听了都笑，有人说："听你这几句，谁再敢偷艺谁就是你儿子了。"旁观的人都跟着笑。

俞六才明白这一招把他的绝活儿立住了。更明白天津人说话的妙处——既厉害又幽默，既幽默又厉害。单厉害不受听，单幽默不给劲。自今而后，果然再没有人学他。他感激刘二爷，天天给刘二爷送糖，一天六块，一天换一样，八天一轮，正好四十八样。多少年来一直送下去。

俞六有妻无子，他的手艺绝活儿后继无人。可到他死后，刘二爷还活着，人说刘二爷长寿，就是因为长年吃俞六的药糖。

防害治安

《醒俗画报》图画

防害治安
昨在河北金義棧遇一下等日商持小
手鎗一枝、帶子彈百顆、聲言三十元
出賣、詢其姓名、渠不肯答、按光緒三
十三年六月間、有日本下等商人（即
提色賣貸者）在河北福星棧借賣
鏡子牙粉爲名、私運軍械三十餘枝、
經北段警局查獲、時警憲提議、
擬與日本領事交涉、禁止此等日
商串店、以維公安、後因他故未果、今
該商等故態復作、實屬違背公

和尚拦舆

《醒俗画报》图画

和尚攔輿
驚跳不止當經巢官將該和尚送交步
軍統領衙門審訊
按出家之人四大皆空復有何事致呈
呈控必須詞訟且必須攔輿耶我弗說
真不可解說

马 二

真的不难，以假乱真才难。比方人家马连良张嘴一唱，当然就是马连良唱，难吗？可要是你唱，让人听了说是马连良在唱，那就难死了。所以天津人最服的是以假乱真。称呼这种人时，不提“以假”，只夸他“乱真”。乱真是种大能耐。

民国年间天津老城这边出了位能乱真的能人，叫马二。马二的爹是干脚行出身，在运河边有自己的水陆码头，脚夫上百号，有了钱便折腾南货，赚了钱发了财，这便在老城租界两边都买了宅子，都开了铺子，上上下下都有人脉。可是，天津卫脑袋一个比一个大，后戳一个比一个硬，若是不小心得罪了更厉害的人，一定会遭人算计，弄得家败。马二他爹就是从这个坡上栽下来的，这就不多说了，只说马二。

马二打小娇生惯养任嘛能耐没有，可是破家值万贯，用不着去做苦力，整天闲玩闲逛，出酒馆进茶馆，游手好闲。人没大聪明，但有小聪明，最大的本事是学谁像谁。从市长、要人、富贾、名流，至少七八位都给马二学得活灵活现，尤其再配上这些名人要人一两个段子，一走一站一笑一招手一龇牙，学谁像谁学谁是谁，能够乱真。乱真这玩意儿是种笑料，乱到妙处，保你笑得下气儿接不到上气儿来，比常连安[1]还逗乐儿。

马二学得最像的人，是租界那边一位管教育的官员管四爷。马二和管四爷除去脸蛋刷白有点像，别的都不像。管四爷是位正经八百的政府要员，马二游手好闲；管四爷出门有车，马二离不开自己的两条腿；管四爷油头粉面，马二灰头土脸；管四爷格格正正一身制服，马二从来没扣齐过褂子上的扣子；管四爷咳嗽的时候拿西洋的手绢捂嘴，马二咳嗽的时候往地上吐黏痰。可是别看这样，他要学起管四爷——乱真！

马二常往租界去，管四爷是出头露面的人，见他不难。老城这边的一般人不常去租界，至少一半人没见过管四爷，不管马二学得像几成，只是觉得他学得好玩罢了。可是一次管四爷来到城北边的总商做“文明讲演”，不少人跑去一看，大吃一惊，马二绝了！事后再看马二一学，更吃一惊，马二真是太绝了！

1. 常连安：（1899-1966）相声大师，擅长单口相声。

从此，马二扬名老城。人们见他干脆就戏称他“管四爷”。马二聪明，他知道要人名人都不好惹，不管人怎么称呼他，他却从来不说自己是管四爷。

这一来，在天津世面上，他也算一号。到哪儿都受欢迎，都爱看他乱真的能耐。

天津是商埠，事事都能找出机会找到好处。自打马二乱真成名，时不时有人请他吃餐赴宴，有的人根本不认得管四爷，请他去就是为了逗逗乐，给饭局助兴。他也不在乎，反正白吃白喝，省钱就是赚钱。这一来，连人家娶媳妇、儿子百日宴、老人做寿和买卖开张，也给他送帖子了。

天津不大，老城这边马二的事儿，渐渐就传到租界那边管四爷的耳朵里。管四爷不是凡辈，表面不做声，暗中派随从葛石头到老城这边来刺探虚实，摸摸马二这个人，是否真能把自己学成另一个自己。

葛石头运气不错，到了老城就赶上一个机会，估衣街上的太平笔庄成立一甲子，在大胡同的状元楼设宴庆贺，据说请了马二。葛石头找人弄到一个席位，那天到了状元楼，很快就从人群里认出马二。乍一看这马二的脸真有点像管四爷，但除去这点就哪儿也不像了。管四爷是嘛派头，这家伙嘛样？活赛一条狗。

可是宴会开了不久，有人喊了一声：“请咱管四爷讲两句！”众人齐声呼好。马二从那边桌子前一站起来，可就赛换了个人。虽然还是那身行头，但那股子劲儿变了。只见他左手往后腰上一撑——管四爷讲话时就一准这么单手撑腰；同时小肚子往前一鼓一挺——管四爷撑腰时肚子就这么一鼓一挺。还没说话就赢得满堂彩，有人叫道：“管四爷附体了，绝啦！”

马二乘兴说：“今儿太平笔庄甲子大庆，诸位爷给咱朱老板面子，大家也是难得一聚，大家自管吃喝痛快，钱——记在我局里的账上！”

葛石头傻了。听这两句话的声音和腔调，就像管四爷在那边说话呢。

再瞧，马二正举杯说：“干了！”举手时胳膊伸得笔直，赛根杆子——管四爷就这么举杯！

葛石头在这边瞪圆眼珠子看；马二那边连吃带喝，说说笑笑，举手投足，活活一个管四爷，引得同桌和邻桌众宾客阵阵大笑。葛石头非但瞧不出破绽，反倒觉得他愈来愈入化境。到了后来，马二有点醉了，连摇身晃脑都像，已经难瞧出是在“学”管四爷了，就像每次教育局请客管四爷坐在那边吃吃喝喝的样子。

可是葛石头却看出他一边“乱真”，一边没忘了吃喝。桌上的鸡腿鱼肚虾腰肉块叫他择着拣着撂在嘴里，吞在肚里。心想这小子，一边用管四爷的“名儿”白吃白喝，一边拿着管四爷开涮给大伙找乐，真是太损太缺了。

正热闹着，马二起身弯腰使筷子去夹远处碟子里一块肥嘟嘟的大海参时，没料到腰一用劲，放个响屁，这屁真响——真臭。坐在他身边的一位立时说：“四爷的屁——扣屎盆子了！”大伙大笑；马二用管四爷的声调说：“不臭叫屁？”大伙又大笑。一直笑到席散。

葛石头回到租界那边，把自己耳闻眼见照实禀告管四爷。然后说：“咱拿他还真没办法，马二嘴里从来没说过他是在学您，说您名字的都是别人。”

葛石头原以为管四爷会大发雷霆，谁料管四爷嘛话没说，只是一笑。

没过几天，老城这边就传出一个说法：人家管四爷是租界里有身份的文明人，从来不会当着人放屁。马二学管四爷，学得再像也不该有放屁这段。马二是小混混儿，没见识，这下子彻底穿帮了！还有一句比广告还厉害的话：一个屁崩飞了马二的饭碗子。

商场里没有比传言更管事的。码头的人又爱说笑话，爱找乐子。从此各种饭局没人再请马二，反而拿马二放屁的事当作饭桌上的笑料。

《醒俗画报》图画

杨度被拘

楊度被拘
楊京卿度因主張借款
為旅鄂湘人所困，已誌各報
茲據鄂省來電云，度抵漢
時湘人即偵其所在，擬與之大
鬧。該判于初三日下午聚集
水電公司門首宣言楊度為
路事公敵，我輩誓力除此人
決不承認為湘人云云。聞者
贊成。該處與英界毗連，英
捕以其違犯警章，出而干
涉，將楊度及其同黨七人
一併拘入捕房，解洋務委
員訊辦，押至洋務公所
防範甚嚴，恐其逃逸。然
湘人勢甚汹汹，仍喧嚷
不已，有欲得而甘心之慨
此係湘人激於公憤所
動，與鄂代表張伯烈
等意見無相干云（勉）
租界地址
租界地址

大作其寿

《醒俗画报》图画

大作其壽
郵傳部鐵路局
局長梁
士詒現屆生辰、
凡遠近
梁某者、莫不極
形忙碌、
並聞該部鐵路
人員於
初一日在四闗
會館熱
會慶祝、頗形
熱鬧云（壬）

五堂会审

《醒俗画报》图画

姜李氏案初六日在學會處
集議何康訪會同道府廳
縣五堂審訊姜犯仍無實供、
呆憲驗得綫帶上有洋燭
油數點疑其在黑夜行事、
傳到盧媽訊問其主人夜
間何燈供稱上房用洋油
打下房油燈老爺用洋燭、
此外一無所知且裝作患
病耳聾等狀實屬狡
猾異常、遂傳車夫錫三
訊問仍供如前乃令跪鍊
子一點餘鐘仍無口供飭
下又傳廚夫張柱供在廚
房每日祇三點鐘的工夫、
一概不聞不見、掌嘴三十仍
一味狡賴無論如何訊問竟
無一字吐口、可惡陳鑄之
處、復傳車夫再行跪鍊初
尚哭叫旋即無聲、真可謂
能熬刑者矣、呆憲視此
情形乃曰你等寧以皮肉報主
人、而主人不如又何以報你等也、
大約將來取供非由姜犯身上
刑取不可、故前日已將姜犯
功名由督憲出咨開革、俟
復文到後當可水落石出
矣、不禁拭目望之

冷 脸

南门外有位铁匠，四十多岁，怪人，他从来不笑，脸总阴着，外号冷脸。

他不是脾气怪才没笑脸；他打小就没笑过，无论嘛事，人都笑了，甚至捧腹大笑，笑破肚子，他也不笑。他那张脸就像用铁皮敲出来的盘子，又黑又硬，赛个铁面人。

冷脸是打保定府来的，在天津至少待了二十年，人有点倔，性子闷，不好结交，没人知道他的事。后来，不知打哪儿传出一段他不会笑的根由，说他爹是钉马掌的，他四五岁时候，站在一边看他爹钉马掌，那马忽然犯起性子，一尥蹶子，后蹄子踢在他脑袋上，他挺在床板上不动劲不睁眼，滴水不进，大夫来一号脉，说没命了，顶多三天阎王爷就把他领走；可三天后他没走，还有气，七天过后，居然睁开眼醒过来，翻身下地，走路说话吃喝拉撒一切照旧，就少一样——不会笑了；人说他的笑脸给阎王爷留下了。

这说法听起来像那么回事，对不对，没人敢去和他核对。

他刚来天津那年，几个小子不信他绝不会笑，一天摸黑，一起上去把他按在地上，一起胳肢他，想叫他笑。可怎么胳肢他也不笑，直到将他胳肢得上边流泪下边尿尿，大喊求饶，可还是不笑。这几个小子住了手，认定这家伙到死也绝不会笑。

不会笑是怪人，怪人还有更怪的事，就是好听相声，怪不怪事？听相声就为了笑，他不笑听相声为了嘛？练笑吗？谁也弄不明白。

冷脸不赌不嫖不贪杯，干完活儿，有点清闲，就钻进说相声的园子，找个凳子一坐，听几段。园子里的人都认识他那张半死不活的冷脸，这张脸好像专和说相声的找别扭，说相声就怕人不乐，你不乐等于人家的包袱不哏，活儿使得不绝，栽人家面子。在天津卫，谁要和说相声的作了对，就找几个人坐在园子里死活不乐，成心戗火。这一来，冷脸可就跟说相声的较上劲了。天津说相声的高手如林。开头，一个个跑到南门外来，看谁能把冷脸逗乐了，结果个个丢盔卸甲，掉头回去。于是南门外有句歇后语：

说相声逗冷脸——自找别扭。

可只有冷脸自己不知道这句话。

北京挨着天津，这怪人怪事传到北京的相声圈子。北京有不少高手，不信世上还有一个逗不乐的人，就来了一逗哏一捧哏的两位。这两位早先在厂甸、天桥一带扬名立万。先甭说“说学逗唱”的功夫都是超一流，单凭长相就不一般。逗哏的又高又瘦，像个瘦猴，人偏姓侯；捧哏的又矮又肥，像个胖猫，人偏姓毛，江湖给他俩一个绰号叫“毛猴”。北京不是还有种拿蝉蜕做的那种人见人爱的小玩意儿“毛猴”吗？这外号就在北京叫得山响。

毛猴来到天津，在南门外的喜福来开说。头一天，台下就坐满了人。冷脸听到信儿也来了。不少人都知道毛猴是冲冷脸来的，只有冷脸自己完全不知道。可他在台下一坐，阵势就摆开了。

毛猴上来，在台上一站，一高一矮一瘦一肥一精一傻，就惹得哄堂大笑。毛猴他俩往下一看，心里咯噔一下，满屋子七八十张笑脸里，有张脸赛铁板，又黑又硬又阴冷，甭打听，这就是那个冷脸。他俩想：今儿是不是真遇到克星了？可是毛猴是二十年老江湖，嘛都见过，先不管这脸，轻轻快快有说有笑之间，啪地甩一个包袱，甩得意外、漂亮、逗哏，人全笑了，唯独冷脸不笑。毛猴目光都扫见了，相互递个眼神，表面不当事，接着说笑，不经意中又使一个包袱，这包袱使得又巧又妙又绝，看出了老到，引得大家大笑，可冷脸还是没笑。毛猴见了，还不当事，接着再来，下边的包袱是毛猴拿手的——听一百次得笑一百次。毛猴一使，全场爆笑，笑声要掀去屋顶，毛猴再看，冷脸居然赛个睁着眼的死人。

毛猴觉得不好，知道今儿弄不好要栽在天津卫了。心里没根，接下去就有什么算什么了。老段子、新段子、文段子、荤段子，加上不停的现挂，直说得脑门流汗、嗓子冒烟，冷脸还是那张冷脸。最后，那个逗哏的瘦猴索性对着冷脸抖一个砸锅卖铁似的包袱，说：

“这位爷，您要是再不笑，我俩可真要脱裤子了。”

全场又一阵大笑。冷脸忽然站起身，板着面孔拱拱拳说：“您二位说得真棒，谢你们了。我退了。”话说完，起身离座走了。到了也没露出个笑脸。

毛猴两个站在那儿下不了台，这算栽到家，只好耷拉脑袋回北京。

自打毛猴走后，没人敢再往南门外说相声。人们把冷脸愈说愈神，好像冷脸是天生的相声杀手。可奇怪的是打那天起，不单南门的相声园子，全天津的相声园子里，没人再见过冷脸。有人说他远走高飞了，可有人说他哪儿也没去，还在南门外打铁，只是绝不再听相声了。

这事就费琢磨了。那天他要是真夸毛猴的相声棒，干嘛不笑？他要是真的不会笑，干嘛非来听相声？他要真的爱听相声，干嘛从那天起与相声一刀两断了？

这几句问话没人答得上来。当时答不上来，今天更是答不上来。

《醒俗画报》图画

委员舞弊

委員舞弊
湖北監利縣賑務局委員王炳熙、自辦賑務以來、每日聚賭、復與土娼楊琢秀結不解緣、恃劣紳李盧王等為爪牙、勾串舞弊、吞沒賑款、被端督訪聞、派員查明屬實、爰特札飭藩臬兩司、派委韓員、將該員紳等提解來省、發交督審處查辦、係何官職、詳請奏咨斥革、
九重夢兆能孝必忠
三斗塵消有威斯

吸烟被革

《醒俗画报》图画

吸烟被革
昨日為職場覆試之期
聞有密雲縣某生
寫作均不甚壞忽然
於完卷後在號位
吸食鴉片被監場者查
出當即稟明學
憲將該生姓名革除云
批監場
之官原以
查拿槍手
為責任
今該員
未獲文槍
反獲烟槍
其立功
不可謂不
偉而稽查
不可謂
不嚴

一阵风

三岔河口那边那块地，各种吃的穿的用的玩的应有尽有，无奇不有。码头上的东西，一半是本地的特产，一半是南来北往的船儿捎来的新鲜货；外来的玩意儿招引当地人，本地的土产招引外来客。于是，走江湖卖艺的都跑到这儿来赚钱吃饭，吃饭赚钱。可是，要想在这儿立足就不易了。谁知道嘛时候忽然站出一位能人高人奇人，把你一脚踢一个跟斗。

民国元年，一位打山东来的跤手无敌手。个子大赛面墙，肩厚似牛臀，臂粗如大腿，光头圆脸冒红光；浑身的肌肉一使劲，好比上上下下到处肉球，再动两下，肉球满身乱滚。这小子拿手的本事是摔跤时，两手往对手肩上一搭，就紧紧抓住，腰一给劲，就把对手端起来。你两脚离地使不上劲，他胳膊长你踢不上他，你有再好的跤法也用不上。他呢？端着你一动不动，你再沉再重也没他劲大。等你折腾够了，他把你往地上一扔，就赛给他玩够的小猫小狗，扔在一边。据说他这手是从小练的一个怪招：端缸。他爹是烧瓦缸的，开头叫他端小缸，天天端着缸在院里转；等他端缸赛端鸡笼子，便换大一号的缸，愈换愈大，直到端起荷花缸赛端木桶，再往里边加水，每十天加一瓢水，等到他端着一缸水在院里如闲逛，这门天下罕见的功夫就练成了。天津的好跤手挺多，可是没人想出能治他的法儿来。

别以为这端缸的山东小子能在三岔口站住脚。一天，打河北沧州来了一位凶悍的汉子，这汉子是练铁砂掌的。人挺黑，穿一件夏布褂子，更显黑；乱糟糟连鬓大胡子，目光凶狠，一看就知不是善茬。这人过去谁也没见过，他在山东小子面前一站嘛话没说，把夏布褂子脱下往后一扔，露出一身肉赛紫铜，黑红黑红，亮得出奇，肉怎么能这么亮？可是，端缸的山东小子没把他当回事，出手往他肩上一搭，跟手一抓，怪事出来了，居然没抓住；再一抓，还是没抓住，这黑汉子肩上的肉滑不哧溜，赛琉璃的，山东小子没遇到过这种肩膀这种肉，刷刷刷连抓三下，竟赛抓鱼，他忽觉不好——原来这黑汉子半个身子涂了挺厚的一层油，怪不得这么亮这么滑！可是抓不住对方的肩，端不起来，他的功夫就用不上了。就在他一惊一怔之间，这汉子双掌疾出，快如闪电，击在他的当胸，他还没明白过来，只觉胸膛一热，已经坐在五尺开外的地上，耳听围观的人一片叫好。

从这天起，三岔河口这块地，这沧州来的黑汉子是爹。

每天都有人不服，上来较量，个个叫这黑汉子打得像挨揍的儿子。这汉子双掌又快又重，能受他一掌的只待高人。

没想到半个月后就有一位怪人站在他对面。

这人赛个文人，清瘦小老头，穿件光溜溜蛋青色绸袍，一身清气立在那儿，眼角嘴角带着笑。没等黑汉子开口，他叫身边一个小伙子帮他脱去外边的长袍，跟着再把这长袍穿上。可再穿上长袍时，他就把两条胳膊套在袍子里面，只叫两条长长的袖子空空垂在肩膀两边，像两根布条。黑汉子说："你这叫怎么一个打法。"

小老头淡淡一笑，说："君子动口不动手，我绝不用手打你。"这口气透着心里的傲气。

黑汉子说："真不用手？那么咱说好了——不是我不叫你用手，我可就不客气了。"

小老头说："有本事就来吧。"

黑汉子说句："承让。"上去呼呼几掌，每掌只要扫上，都叫小老头够呛。可是黑汉子居然一掌也没打上，全叫小老头躲闪过去。黑汉子运气使力，加快出掌，可是他出手愈快，小老头躲闪愈灵。一个上攻下击，一个闪转腾挪，围观的人看得出小老头躲闪的本领更高，尤其是那翻转、那腾跳、那扭摆，比戏台上跳舞的花旦好看。黑汉子打了半天，好像凭空出掌。拳掌这东西，打上了带劲，打不上泄劲。一会儿就累得黑汉子呼呼喘了。尤其小老头的空袖子，随身飞舞，在黑汉子的眼里，哗哗的，花花的，渐渐觉得好赛和好几个小老头在打，直到打得他气短力竭，浑身冒汗，才住手，说了一句："我服您了。"

小老头依旧刚才那样，垂着两条空袖笑吟吟、气定神闲地站在那里。他一招没使，没动手，就把黑汉子制服了。这小老头是谁，从哪儿来，谁也不知。但是打这天起，三岔河口又改名换姓，小老头称雄。有人不服，上来较量，小老头还是不出手，就凭着闪转腾挪和两条飞舞的空袖子，叫对手自己有劲没处使，自己把自己累趴下。

看来小老头要在这块地立一阵子，没过十天，又一位高人冒出来了。

谁也没留神，这些天一位高人一直扎在人群里，欣赏着小老头“动口不动手”的绝技，琢磨其中的诀窍，也找破绽。这人年轻健朗，穿个白布对襟褂，黑布裤，挽着裤腿，露出的腿肚子像块硬邦邦的圆石头。这种装束的人在三岔河口一带随处可见——船夫。他们使桨掌舵扯缆扬帆，练达又敏捷，逢到黑风白浪，几下就爬到桅杆顶尖，比猴子还快。可是要想和练武的人——尤其小老头较量较量，胜负就难说了。

看就看谁比谁绝。

这船夫一上来双手拱一拱拳，就开打。小老头照例闪转腾挪，叫这船夫沾不上自己的边儿。小老头这双空袖子绝的是，舞起来叫人眼花缭乱，不知对他该往哪儿出拳使掌。袖子是空的，打上也没用。可是谁料这船夫要的正是这双长袖子。他忽地伸手抓住左边的衣袖，一阵风似绕到小老头身后，再抓住右边的衣袖，飞快地跑到小老头身后，把两条袖子结个扣儿，这个扣儿是活扣儿，懂眼的人一看便知，这是系船的绳扣儿。别看是活扣儿，愈使劲挣，扣儿愈死。待这袖子赛绳子扎得死死，小老头可就跟棍子一样戳在地上。这船夫上去一步蹬上小老头，两脚站在小老头双肩上。小老头看出不妙，摇肩晃膀，想把这船夫甩下来。可是船夫任他左晃右晃，笑嘻嘻交盘着手臂，稳稳地一动不动。船夫整天在大风大浪的船板上，最不怕摇晃。一直等到小老头没劲再晃，站老实了，才跳下来，伸手两下给小老头解开衣袖，转身便走。

从此，小老头人影不见，这船夫也不见再来。这船夫姓甚名谁，哪门哪派，家在何方呢?

渐渐有了传闻，说这人家在北塘，没人知道他练过功夫，只说他是个好船夫，在白河里来来往往二十年，水性好，身手快，绰号一阵风。有人说前些天在大直沽那边碰见过他，问他为嘛不在三岔河口地上画个圈，显显身手，多弄点钱。一阵风说，天津这码头太大，藏龙卧虎，站在那儿不如站在船上更踏实。

徒毒其师

《醒俗画报》图画

徒毒其師
上海有雜髮學徒湯榮和因懷恨伊師湯咸通責以砒霜和入飯中、咸通同弟湯生兒食後毒發呻吟、控經一路公局解送到縣奉田大令訊判發送上海縣醫院醫治、榮和收押候辦在案、茲悉生兒受毒尚淺已經治愈、咸通受毒甚深難以施救、即在院中斃命、當經該處地甲到縣稟請相驗田大令帶同刑作人等詣院先據醫生呈出藥方二紙聲稱此人受毒頗多、難以為力、大令驗得咸通七竅流紅委係吃食毒砒身死、飭將榮和帶至尸旁、令其分別察視、榮和亦供認將砒置於飯中是實、現已知錯叩求施恩、生兒供願棺殮求免發封、大令准如所請、判將榮和帶回訊辦（乙）
是真名士自風流

日前午後北京西直门外小茶館內、有陸軍兵丁數人在該處聚談花界中事、其所談者、某茶室某小班等等名詞、正值談論之時、從门外走過一少婦、該軍人振刷尚武精神、由茶館出來、追有半里之遥、方始住步、

請買延古齋梓珍彩票

啟者本號因所存珍玩太多稟蒙 直隸工藝總局 直隸協贊會 天津商務總會詳奉 前督憲端 前護督憲崔 督憲陳 迭經批准開辦彩票以銷積貨在案 茲將各項簡章列左 一延古齋古玩店稟蒙 直隸工藝總局 直隸協贊會 天津商務總會詳奉 督憲批准因該商存貨過多准辦彩票以恤商艱祇以一天為限嗣後不得援例舉行各等因在案 一各項貨品現在設河北公園勸工陳列所內共值價洋拾萬元分二千五百彩售票五萬張每張價洋貳元 計 頭彩一張值洋貳萬元 二彩二張每張值洋貳千元 三彩二張每張值洋一千元 四彩五張每張值洋五百元 五彩二十張每張值洋一百六十元 六彩七十張每張值洋九十元 七彩百張每張值洋六十元 八彩二百張每張值洋四十元 九彩六百張每張值洋三十元 十彩一千五百張每張值洋二十元 以上貨品花色買主恐無周悉今將頭十彩各品逐項拍照用銅版刷印裝訂成冊如購票至十張者贈與一冊 其批發批折扣數目另有詳章劃一不二 如有欲代銷售者請至總售票事務所面議 一此票名曰梓珍彩票總售票事務所設在河北公園陳列所旁暢觀樓內 一此事事繁款鉅茲奉准各憲詳委專員經理一切以專責成 一開彩之法按陳列所每月所開小彩票章程俟彩票銷售將竣預期登報宣佈屆期開彩恭請 大憲親臨監視以示大公而昭鄭重（批發章程） 如能代銷百張者按原價九七折收代

渔翁觅利

《醒俗画报》图画

漁翁覓利
廣東大沙頭、墮河各妓女屍身、多有金銀首飾、及時表、銀幣等貴重之物、連日有漁船多艘在該處尋覓每有獲得巨貲者、殆所謂漁翁得利哉、

张果老

好好一套的老东西失去一件，不成套了，这不成套的东西叫作失群。失群原本是令人惋惜又没辙的事，失群东西的价钱本应大打折扣，到了天津卫的古玩行反倒能拿它赚钱。怎么——不信？

今儿天好，索七来到估衣街，逛一逛他最欢喜的宜宝轩古玩店，他运气不错，隔着临街的玻璃窗，一眼就瞧见里边木架立着一排五彩瓷人。他玩瓷器绝对到家，那一排瓷人在他眼前一过，立时看出是嘉庆官窑五彩八仙人。进门就径直朝这东西奔去，走近一看果然极好，色气正，包浆好，人物有姿有态，神情各异，个头又大，个个近一尺高，难得的是没一点残缺。瓷人最易伤残的是手指，这几个瓷人没一根手指断尖。那股子富丽劲儿、沉静劲儿、滋润劲儿、讲究劲儿，就甭提了，大开门的嘉庆官窑！可是再盯一眼，问题就出来了。八仙人是八位，这怎么是六位？他细看一下，这儿站着的是汉钟离、铁拐李、曹国舅、吕洞宾、何仙姑、蓝采和，还缺着吹笛子的韩湘子和倒骑驴的张果老呵。没等他找老板问，只听声音就在耳边：“您别看东西失群，价钱也失群了呢。”再瞧，掌柜辛居仁就笑嘻嘻站在他身边。辛掌柜个子矮，嘴唇上边长几根花白的鼠须，仰头对他笑着说："这套嘉庆官窑八仙要是整套的，品相这么好，还不得八根条子，一根条子一个人儿，现在您只出这半价——"他用手比画个"四"，笑着说，"一半价！您就抱走了。这点钱您到哪儿买去？实话告您，您索七爷走运了，人家等着用钱！"

古董是死的，卖古董的能把它说活了。

"这是谁家的东西？"索七问。

"瞧您问的，干我们这行能说东西是谁的吗？不过这家可不一般，天津卫无人不知，只是我不能连名带姓地告诉给您。再说，东西这么好，您管它是谁家的干嘛？"

索七爷仔细再看看这六个瓷人，真是没挑；瓷人是手工活儿，每个瓷人都捏得好，画得好，烧得好，太难得！可要是整套齐全，花十根条子他也会狠下心来买。现在失了群，差大事了。辛掌柜好赛明白他想的是嘛，对他说："嘉庆成套的东西哪有不失群的？您要摆在家里，别像我这样儿全都摆出来，您可以单摆一两个。单摆显得珍贵，隔一阵儿再换换，更新鲜。"

索七爷动了心。做买卖的比当大夫的还会察言观色，辛掌柜说："老实跟您说，您要错过了，甭想再碰上。这东西今儿一早才摆出来，就叫您迎头撞上了。东西好，又这么贱，说不定下晌就叫人抱走了。”

于是索七回去取钱，来把款付了。辛掌柜给他包瓷人时说：“您索七爷是福运当头的人，往后多留神，说不定碰上失群的那两个，那您就发大财了。”这几句话把索七说得心花怒放，高高兴兴把这六位神仙抱回家。

打这天起，索七几乎天天逛古玩店。天津卫是商埠，来天津做生意的有钱人多，洋人也多，自然少不了古玩店，从租界马家口到老城内外，大大小小总有几十家。索七每五天就把所有古玩铺子都跑一圈。

索七这种人天津卫挺多。祖上有钱，本人无能，吃喝之外，雅好古玩，天天在城中转悠。一个月后，索七又转到估衣街的宜宝轩，这个月已经来三次了，次次落空。这次不一样，他又是隔着玻璃窗一眼看到古玩架上站着一个瓷人，同时还看到辛掌柜朝他弯着眼笑嘻嘻招手呢。

他急忙跨进去，辛掌柜赶忙迎上来，边说：“我说上天不负有心人嘛。您看，这东西可是自己找您来的。”索七定睛一瞧，没错，嘉庆官窑五彩瓷人，和他那六个是一套的——双手执笛横吹的韩湘子，按捏笛孔的十根手指根根都有姿有态，小脸斜扭，红唇上翘，神情已入笛声之中。这瓷人做得似乎比那六个还好。这就要掏钱买。辛掌柜却说："您先别急，价钱咱还没说呢，上回叫您买到便宜了，这回不行了。"开口就要两根条子。

索七说："怎么这一个顶那三个的价？"辛掌柜说："您别还价，就这价钱，顶多三天准出手。单卖单说，按品相说价钱，您自己凭心说，您手里那六个虽然都好，可都没法儿和这个比。这套八仙，这个最好！极品！"两人争了半天，最后辛掌柜搭上一个带款的宣德炉要了两根条子，才把这韩湘子给了索七。索七问他这东西是不是还是上次那家的货。辛掌柜说："谁还会分两次拿出来卖？这件韩湘子是庚子闹义和团八国联军屠城后，人家在护城河边地摊上买的。人家可爱这件东西了。等着用钱，才拿出来卖。再告诉您吧，这东西刚上了架，已经有两位想要，我没卖，就等着您来，我不想再叫这套瓷人失群。失了群再想合群只有等下辈子了。"

索七说："还差一个张果老。你还得给我留神。"辛掌柜听了，露出笑容，说："那您可得天天烧高香，古玩行里还没遇见过这种事呢。"

索七把这韩湘子拿回家，和先前那几位神仙排成一排，别提多美，也别提多别扭了。没这韩湘子，只当是几个失群的古董，有了韩湘子，反觉得是一堆残品。索七的一位朋友说，八仙是八卦五行之象，缺一不可。索七就像着了魔似的满城寻找张果老。三天去一趟北城外估衣街的宜宝轩，回回落空。急得他恨不得买条驴自己坐上去。

一天后晌回家，打西北城角走进太平街——他天天回家就走这条道，看见街口一边围着十来个人，兴致勃勃看着什么，他过去往人中间伸脑袋一瞧，有个人手里拿件东西在卖。再瞧，眼睛登时花了；待定住神瞧，竟然就是他想掉了魂儿的那个瓷人张果老！没错，不用细瞧，就是自己那套八仙，那个张果老！这是老天爷派人送到他手上来的吗？再瞧瞧卖东西这人，五十来岁，模样赛个小生意人，穿得不错，但脸上透着穷气。索七问道："你是打哪儿来的？"没料到头一句话就把对方问火了："你是买东西还是买人？你想说我是偷来的？"索七赶紧解释，愈解释对方愈冒火，后来干脆从腰里掏出块布，把张果老一裹，夹在胳肢窝里就要走，不肯卖了。索七爷赶紧拦住他，说好话，赔不是，说自己真心要买这件东西。对方听了，带着气说："你要真要，六根条子！"这是天价，不沾边了，可是索七爷却不敢说个不字，死磨硬泡往下拉价，他愈拉对方把价咬得愈死，最后干脆说："没工夫跟你绕舌头，我扔了砸了也不卖了。"

索七只好认头。回去取钱买了。

围观的人看不明白，明摆着成心刁难人的价钱也买？是买他爹他娘的灵牌吗？拿黄金当黄土了。

张果老抱回家，八仙终于凑齐了，也算各显了"其能"。

一天，索七一位上海的朋友来津，上门做客，看到摆在正中条案上的嘉庆官窑五彩八仙，这友人也好古瓷，懂行懂眼，连声称绝。说道："这东西得值六根条子。你花了多少请回来的？你买到便宜了吧？"

索七用心算一算，前前后后加在一起，竟是十二根。自己怎么会花这么多钱呢？他再把买这八仙前前后后的故事连起来一想，忽然明白到底怎么回事了——他钻进了人家早做好了的圈套！栽跟头的事不能对外人说，嘴上说着："不多不多。"却觉得条案上的八仙人都在咧嘴笑他这个傻瓜。

铁牌到津

《醒俗画报》图画

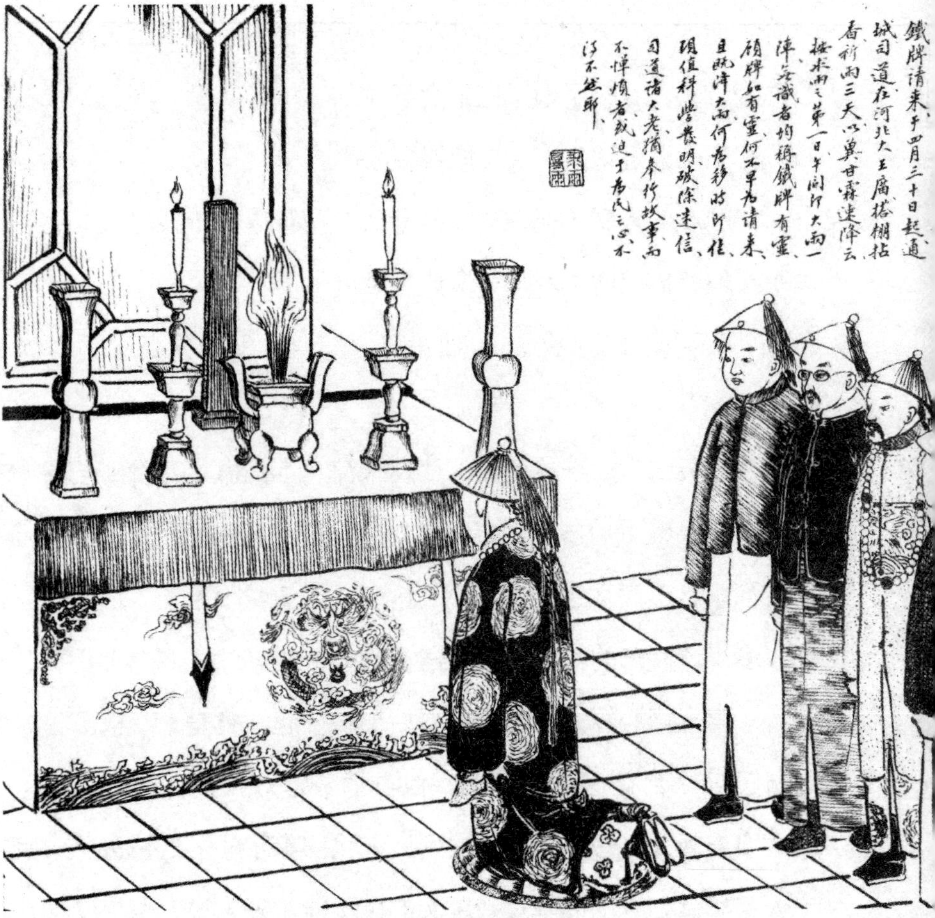
鐵牌請來于四月三十日起通
城司道在河北大王廟搭棚拈
香祈雨三天以冀甘霖速降云
按求雨之第一日午刻即大雨一
陣妄識者均稱鐵牌有靈
碩牌如有靈何不早為請來
且既津大雨何為移時即住
現值科學發明破除迷信
司道諸大老猶奉行故事而
不憚煩者或迫于為民之心不
得不然耶

署中聚赌

《醒俗画报》图画

叫好被絷

《醒俗画报》图画

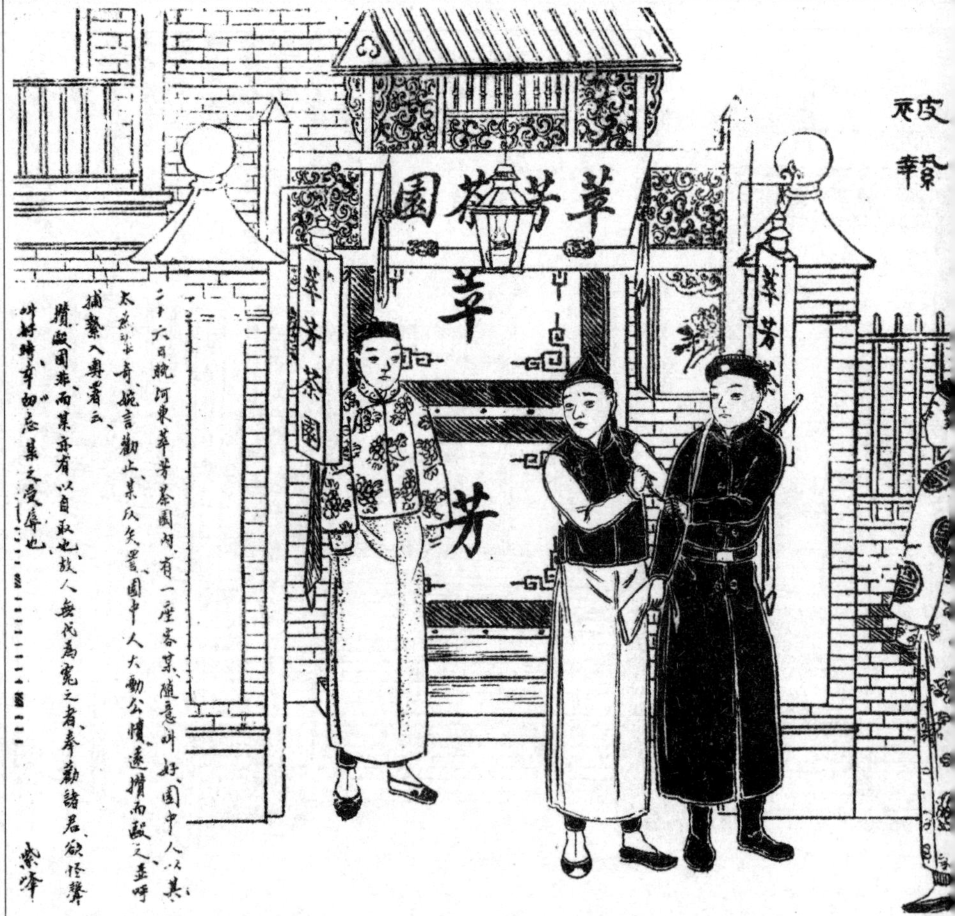

莘芳茶園
莘芳
莘芳茶園
二十六日晚河東莘芳茶園內有一座客某隨意叫好園中人以其
太為過分奇婉言勸止某反矢詈園中人大動公憤遂攢而毆之並呼
捕縶入輿署云
攢毆固非而某亦有以自取也故人無代為冤之者奉勸諸君欲怪聲
叫好時幸勿忘某之受辱也
紫峰

狗不理

天津人讲吃讲玩不讲穿，把讲穿的事儿留给上海人。上海人重外表，天津人重实惠；人活世上，吃饱第一。天津人说，衣服穿给人看，肉吃在自己肚里；上海人说，穿绫罗绸缎是自己美，吃山珍海味一样是向人显摆。天津人反问：那么狗不理包子呢？吃给谁看？谁吃谁美。

天津人吃的玩的全不贵，吃得解馋玩得过瘾就行。天津人吃的三大样——十八街麻花耳朵眼炸糕狗不理包子，不就是一点面一点糖一点肉吗？玩的三大样——泥人张风筝魏杨柳青年画，不就一块泥一张纸一点颜色吗？非金非银非玉非翡翠非象牙，可在这儿讲究的不是材料，是手艺，不论泥的面的纸的草的布的，到了身怀绝技的手艺人手里一摆弄，就像从天上掉下来的宝贝了。

运河边上卖包子的狗子，是当年跟随他爹打武清来到天津的。他的大名高贵友，只有他爹知道；别人知道的是他爹天天呼他叫他的小名：狗子。那时候穷人家的孩子不好活，都得起个贱名，狗子、狗剩、梆子、二傻、疙瘩等等，为了叫阎王爷听见不当个东西，看不上，想不到，领不走。在市面上谁拿这种狗子当人，有活儿叫他干就是了。他爹的大名也没人知道，只知道姓高，人称他老高；狗子人蔫不说话，可嘴上不说话的人，心里不见得没想法。

老高没能耐，他卖的包子不过一块面皮包一团馅，皮厚馅少，肉少菜多，这种包子专卖给在码头扛活儿的脚夫吃。干重活儿的人，有点肉就有吃头，皮厚了反倒能搪时候。反正有人吃就有钱赚，不管多少，能养活一家人就给老天爷磕头了。

他家包子这点事，老高活着时老高说了算，老高死了后狗子说了算。狗子打小就从侯家后街边的一家卖杂碎的铺子里喝出肚汤鲜，他就尝试着拿肚汤排骨汤拌馅。他还从大胡同一家小铺的烧卖中吃到肉馅下边油汁的妙处，由此想到要是包子有油，更滑更香更入口更解馋，他便在包馅时放上一小块猪油。之外，还刻意在包子的模样上来点花活儿，皮捏得紧，褶捏得多，一圈十八褶，看上去像朵花。一咬一兜油，一口一嘴鲜，这改良的包子一上市，像炮台的炮一炮打得震天响。天天来吃包子的比看戏的人还多。

狗子再忙，也是全家忙，不找外人帮，怕人摸了他的底。顶忙的时候，就在门前放一摞一摞大海碗，一筐筷子，买包子的把钱撂在碗里。狗子见钱就往身边钱箱里一倒，碗里盛上十个八个包子就完事，一句话没有。你问他话，他也不答，哪有空儿答？这便招来闲话：“狗子行呵，不理人啦！”

别的包子铺干脆骂他“狗不理”，想把他的包子骂“砸”了。

狗子的包子原本没有店名，这一来，反倒有了名。人一提他的包子就是“狗不理”。虽是骂名，也出了名。

天津卫是官商两界的天下。能不能出大名，还得看是否合官场和市场的口味。

先说市场，在市场出名，要看你有无卖点。好事不出门，坏事传千里；好名没人稀罕，骂名人人好奇。狗不理是骂名，却好玩好笑好说好传好记，里边好像还有点故事，狗子再把包子做得好吃，狗不理这骂名反成了在市场扬名立万的大名了。

再说官场。三岔河口那边有两三个兵营，大兵们都喜欢吃狗不理的包子。这年直隶总督袁世凯来天津，营中官员拜见袁大人，心想大人山珍海味天天吃，早吃厌了，不如送两屉狗不理包子，就叫狗子添油加肉，精工细作，蒸了两屉，赶在午饭时候，趁热送来。狗子有心眼，花钱买好衙门里的人，在袁大人用餐时先送上狗不理。人吃东西时，第一口总是香。袁大人一口咬上去，满嘴流油，满口喷香，心中大喜说："我这辈子头次吃这么好吃的包子。"营官自然得了重赏。

转过几天，袁大人返京，寻思着给老佛爷慈禧带点什么稀罕东西。谁知官场都是同样想法。袁大人想，老佛爷平时四海珍奇，嘛见不着；鱼翅燕窝，嘛吃不到；花上好多钱，太后不新鲜，不如送上前几天在天津吃的那个狗不理包子。就派人办好办精，弄到京城，花钱买好御膳房的人，赶在慈禧午间用餐时，蒸热了最先送上，并嘱咐说："这是袁大人从天津回来特意孝敬您的。"慈禧一咬，喷香流油，勾起如狼似虎的胃口。慈禧一连吃了六个，别的任嘛不吃，还说了这么一句：

"老天爷吃了也保管说好！"

这句话跟着从宫里传到宫外，从京城传到天津。金口一开，天下大吉，狗不理名满四海，直贯当今。

夜夜防贼

《醒俗画报》图画

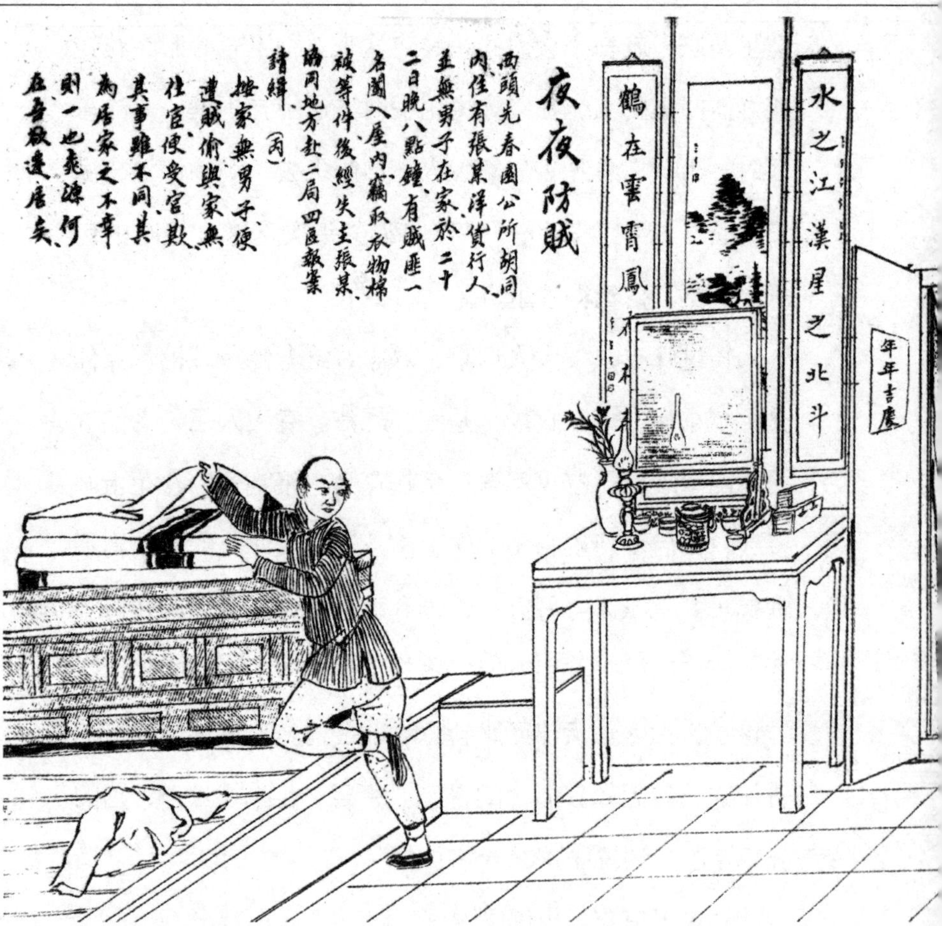
夜夜防賊
西頭先春園公所胡同
内、住有張某洋貨行人、
並無男子在家、於二十
二日晚八點鐘、有賊匪一
名闖入屋内、竊取衣物棉
被等件、後經失主張某、
協同地方赴二局四區報案
請緝、（丙）
按家無男子、便
遺賊偷、與家無
往官、便受官欺、
其事雖不同、其
為居家之不幸
則一也、蠹源何
在吾欲速唐矣、
鶴在雲霄鳳
水之江漢星之北斗
年年吉慶

《醒俗画报》图画

大权已失

大權已失
川粵漢鐵工程司、已由端督辦聘定
前滬寧工程司英人格林森氏並
實卿為盛宣懷所薦者、聞格氏曾
前到鄂端与之言鐵工程司以下
各工程司及工程學生等宜多用
中國人、格氏大不以為然、謂華人
工程學科不足、即用之亦祗能充
三等以下各職、且需考試以定
去留、格氏此來所隨帶之西人甚
夥、意欲全數安插、如滬寧
故事、試對於華人、多方阻難、而
華人業工程者、大半曾在京張
蘇浙各路著有成績、決不肯受
格氏之考試、就三等之職務、此
事將來必有一番衝突也、(勃)
廣瘦曰、京張蘇浙等路
之鐵工程師、獨非中國人耶、
何以棄已著成效之本國
人而不用、反贈全權于外人、
如此辦法、求之全球萬國
絕無有此、惟獨于中國見
之、此之謂中國國有之鐵
路、此之謂盛宣懷鐵路之
辦法、
遠借會念經

《醒俗画报》图画

凶恶至此

廣東大沙頭花船被
焚之慘已登報矣現
聞該處搶火之匪尤屬
慘無人理蓋當烈焰轟轟
人聲喊叫之際有一伙匪徒
為搶妓女之釧先用刀割
斷其腕幸巡警當場拿
獲十餘人餘俱逃去矣
按搶罪固大若趁火而搶更屬
罪不容誅乃因火搶物並先
用刀傷人此種匪徒尚有人
理乎宜嚴拿而盡除之

钓鸡

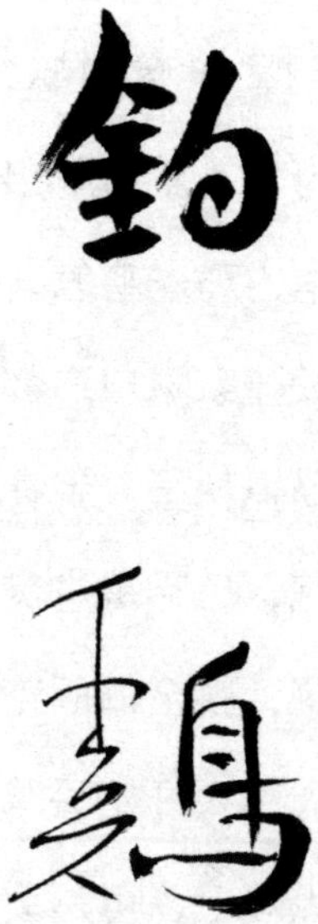

民国十六年入冬，天津卫地面上冒出来一位奇人，这人谁也没见过。姓嘛叫嘛，长的嘛样，也就没人能说清楚。既然是奇人，就得有出奇的地方。这人是位钓客，但不是钓鱼，是钓鸡。鸡怎么钓？我说您听——别急。

那时，天津家家户户都养鸡养狗养猫。养鸡吃蛋，养狗看门，养猫抓耗子。狗在院里猫在屋里，鸡不圈着，院里院外随便跑，后晌该进窝的时候，站在门口一吆喝，或敲敲食盆食罐，就全颠颠跑回家了，绝丢不了。可是到了民国十六年天津人开始丢鸡，开始以为闹黄鼠狼，黄鼠狼抓鸡总留下点鸡毛，可是丢鸡的地方没人见过鸡毛；后来认为是有人抓鸡，可是抓鸡的地方总能听见鸡嘎嘎叫，怪的是——没人听过鸡叫。

不多时候，家住粮店后街的一位姓刘的老江湖，瞧出了门道。他发现丢鸡不总在一个地方，今儿河东，过两天河北，再几天杨庄子。丢鸡的地界都不大，不过几条胡同，一两条街，几十只鸡，好似给一阵风刮走，不留半点痕迹。黄鼠狼绝没这种心计，只有人才干得出来。这叫打一枪换一个地方。这偷鸡的人真够聪明。可他用嘛法子，不声不响，鸡也不叫，不大工夫，就把一个地界满地跑的几十只鸡全敛去了？

老刘开始到处走，留神用耳朵摸，只听到哪儿哪儿丢鸡的传闻，却没人说偷鸡的人给逮着了，只听到一个绰号叫“活时迁”——叫得挺响。嘿，人没见，号先有了。

二十天后一个小痞子告他这个活时迁的事，叫他大吃一惊。

据说这活时迁抓鸡不用手抓，用线钓。他先把一颗黄豆中间打个眼儿，用一根细线绳穿过去，将黄豆拴在线绳一头；再使一个铜笔帽，削去帽尖，露出个眼儿，穿在线绳另一头上，铜笔帽像串珠那样可在线上任意滑动，然后将黄豆、线绳、铜笔帽全攥在手里，偷鸡的家伙就算全预备好了。

活时迁看到一个有鸡的地界，蹲在一个墙角，抽着旱烟，假装晒太阳。待鸡一来，先将黄豆带着线抛出去，笔帽留在手中。鸡上来吞进黄豆，等黄豆下肚，一拽线，把线拉直，就劲把铜笔帽往前一推，笔帽穿在线中，顺线飞快而下，直奔鸡嘴，正好把嘴套住。鸡愈挣，线愈紧，为嘛？豆子卡在鸡嘴里边，笔帽套在鸡嘴外边，两股劲正好把鸡嘴摽得牢牢的，而且鸡的嘴套着笔帽张不开，叫不出声。活时迁两下就把鸡拉到跟前。

小痞子说，活时迁多在入冬钓鸡，冬天穿一件黑棉大衣，抓了鸡，塞进怀里，谁也看不出来，更因为谁也想不到他用这法子偷鸡。小痞子还说，他一天吃三只鸡，吃不了拿到就近的集市上卖了。

老刘问他这话当真，小痞子说他前些天在挂甲寺一带亲眼见的。

老刘在家里寻思一天一夜，想出一招。他想，他住这粮店后街，养鸡的人家多，地势杂，活时迁迟早会来这儿偷鸡。他家也养鸡，他便守在家候着活时迁。他说：他钓鸡，我钓他。

入了腊月，他的鸡和隔墙陈三家的鸡忽然没了，十几只，光光的一只没剩下。老刘说："行了，上钩了。"

老刘知道在哪儿能找到活时迁。他去到附近一带几个卖活禽的集市上转，转来看去，瞧见一个胖子，脸色红，皮肤光，小眼赛一对琉璃珠黑又亮，身穿大棉袍蹲着，旁边一个竹编的罩笼，扣着五六只活鸡。老刘过去对这胖子说："鸡吃得不少呀，嘴巴都流油了。"

胖子一听一惊，坐个屁股蹲儿。老刘心想这就是活时迁了。

活时迁手一撑地，又蹲回来，朝老刘笑道："这么肥的鸡哪有福气吃？"

老刘一听他说话的口音不是当地人，却不和他多废话，指着鸡笼子说："你把那白公鸡拿出来瞧瞧。"

活时迁应声伸手从叽哇乱叫的几只鸡中间，把白公鸡抓出来，递给老刘。白毛红冠，雄姿勃勃。活时迁说："这公鸡起码十斤，还是当年鸡，肉多又嫩，煮着炒着怎么吃都成。"

老刘拿着鸡问他："多少钱？"

活时迁："不便宜也不贵，十个铜子儿。"

老刘："好，你就给我十个铜子儿吧，还有笼里那五只，总共六十个铜子儿。"

活时迁："别打岔了，你吃我鸡还要我给钱。"

老刘："谁打岔了，你抓我鸡还要我给钱。"

活时迁觉得话茬儿不对，把脸一撂，说："好，你可得说明白，这鸡怎么是你的？"

老刘笑了，说："你说这鸡是你的，可有记号？"

活时迁有点发急："鸡不是你抱来的，是在我笼子里的。我没记号，你有记号？"

老刘说："肚子上有个红圈儿。"

活时迁抓过鸡，翻过来，拿给围观的大伙看，叫着："大伙瞧呵，哪来的红圈儿。"没有红圈，只有一肚子厚厚的白绒毛。

老刘冷冷一笑，左手把鸡抓过来，右手将肚子上的白毛一把把揪下，果然一红圈儿，用漆画在鸡皮上。他说："我早在它换毛时就把这红圈儿画上去了。"

活时迁心想：这回要玩儿完，人家早早画个圈儿，等着自己往里跳呢。这才叫魔高一尺，道高一丈。码头人真厉害。自己只有叫爹叫爷，求饶了。

人家老刘是江湖。真正的江湖都厚道，得饶人处且饶人。他叫活时迁把笼子里的鸡腿拴在一起，头朝下提在手里。只朝活时迁说了一句："小能耐，指着它活不了一辈子，弄不好只活半辈子。打住吧。"

打这天起，天津没听说谁再丢鸡。却都知道粮店后街有位姓刘的汉子，叫"赛时迁"。

可谓醉闹

可謂醉鬧
昨晚十一點
鐘、南市有一
醉漢、令該處
崗警同其赴
各局察找八、
崗警不允、遂
大罵不休、有
行人某出為
勸解、亦遭其
毆打、後經巡警
多人、將其拟

《醒俗画报》图画

所见如是

所見如是
本月十六日由北門西
馬路經過、
遇一四輪馬車、由東
往西飛如
流星、車內坐有某
甲年約
五旬、
二妓、一
坐於甲之身旁、一
坐於甲之
懷內、行人無不注目、
皆謂天津、
素號文明、不意竟有此
野蠻現象

龙袍郑

龍袍鄭

天津卫的名人都有来头，来头都不小。绰号“龙袍郑”这个郑老汉的来头顶了天——皇上。

郑老汉是海河边一个渔夫，一个人，一条船，有兴致时拉网打鱼，有清闲时握竿钓鱼，吃鱼卖鱼，靠鱼活着，傻傻乎乎，乐乐呵呵。

乾隆下江南时，乘船途经天津，看到河上桅杆林立，岸边货堆成山，开了大眼，皇宫里头虽然金装银裹，却看不到这种冒着人间活气的景象。皇上高兴，要到岸上溜达溜达，怕招眼招事，不敢骑龙驾虎，便在龙袍的外边罩件大氅，只带着两个随从，靠岸下船，边走边看，愈看愈有兴致，也就愈走愈远。

看着看着，一个景色把皇上吸引住。不远河上停着一只船，有舱有篷，一个渔翁坐在船头钓鱼。人在船上，影在水里，像个画儿。看钓鱼都是等着看人家钓上鱼，老翁一条一条总有鱼上钩，皇上就看得有滋有味，扭头对随从说：“回到宫里，我也去御花园钓钓鱼。”

随从说：“皇上钓的比他强，皇上钓的是金鱼。”

可是没大一会儿，这渔翁收起竿子，把船几下划到岸边。这渔翁就是郑老汉。皇上走过去问他："你正上鱼，怎么收竿不钓了？"

郑老汉站在船头，手往西一指说："没见那云彩？要下雨了。"

皇上往西边一看，果然一块黑云。云形很怪，前头像刀裁一般齐。乌云前边是晴天，这云就像一块黑色的床单要遮过来。郑老汉说："这是齐头云，来得可快，雨说下就下。您这是往哪儿去？还不快跑，迟了可就成落汤鸡了。"

皇上说："哎哟，我是从船上下来玩儿的，我的船还远。"

郑老汉说："您要不嫌弃就上船来避避，这雨说着就到。"

皇上抬头一看，果然半个天都黑了，风也大起来，而且冷飕飕，往领口袖口里钻。随从赶忙把皇上扶上了船。船不大，舱不小，连皇上带随从都钻进去。皇上头次钻进这渔家的窝里，看哪儿都新鲜。郑老汉拿几个破碗，沏了茶。这茶比树叶多点味罢了，皇上竟说好喝。喝茶间，雨已经来了，雨落舱篷，像大把大把撒豆子。这一来，皇上更有兴致说：“你有吃的么？我有点饿了。”

郑老汉笑道：“我猜到您会饿，正给您热这锅熬面鱼呢！我郑老汉熬的面鱼，谁吃谁爱。这边打鱼的常提着酒葫芦来吃我的面鱼。”他说话这当儿，鱼味已经钻进皇上的鼻子眼儿，勾馋虫子了。

郑老汉的面鱼捧上来，皇上吃上两口就大声说好。面鱼又小又没样，从来上不了御膳，所以皇上没吃过；可是，面鱼又鲜又嫩又没刺，皇上头一遭吃，竟然大呼这才是山珍海味。御膳房的菜添油加酱，民间饭食原汁原味。皇上一边避雨，一边又吃又喝好快活，一高兴，把外边大氅解开，将里边的龙袍脱下来赐给了郑老汉。郑老汉万万没想到，天降洪福，居然在自家的小船篷里见到万岁爷了。两腿一软，两膝一松，啪地跪下，连连叩头，直到风停雨住，皇上走了，还趴在那儿把脑门撞着船板嘣嘣响。

整整一夜，郑老汉也弄不清这事是真是假。当今皇上到自己船上吃鱼喝茶——谁也不信是真的，可金光闪闪的龙袍就在自己手里。一时，他觉得赛做梦，连自己都不是真的了。

第二天一早，郑老汉没出船，在船头摆一张椅子，一张桌子。桌上铺着龙袍，自个坐在椅子上。不一会儿就招来许多好奇的人，而且人愈来愈多。当今皇上乾隆爷上过郑老汉的船，吃了他的面鱼夸好，还赐他身上的龙袍，这事眨眼传遍全城。几年前，皇上来天津，赶上妈祖生日看皇会，不过赐了两件黄马褂，民间就闹翻天。龙袍比黄马褂厉害多了，见了龙袍就如同见到皇上，于是有人跑去给龙袍叩头，这一来津城的乡绅、富贾、文人和官员纷纷赶往这里，像是皇上还在这里。官员碰上这种事都争先恐后，听说知府大人很快也要赶到。

郑老汉出了大名，从此人们就叫他“龙袍郑”。关于龙袍郑的各种传闻也就很快热闹起来。可是，人出了名就有人说好，有人说坏。一句好话后边总是跟着一堆坏话——恨人有笑人无嘛。有不怀好意的说龙袍郑天天夜里偷着把龙袍穿在身上，坐在舱里装皇上。这传闻跟着就引来一个可怕的消息，说知府大人听了发火了，不但不来了，还要抓龙袍郑，没收龙袍，治他“亵渎圣上”的重罪。后边还有更邪乎的传闻呢。

这一下就把龙袍郑吓跑了。三天过去，便不见龙袍郑的人影船影龙袍影，看来是吓破胆了，划船跑了。

码头的事再热闹，都是一阵风，说过去就过去。渐渐人们不再提龙袍郑，却时不时有人把船泊在原先龙袍郑停船的地方，握竿垂钓，想也碰到一次皇上。

在估衣街上有个摆摊卖槟榔的小子，人挺精明，做梦都想发财，一直没撞上好机会。这小子也姓郑，兄弟排行老三，人称郑三。一天，有人对他说："你也姓郑，人家龙袍郑也姓郑，人家是嘛运气，皇上找上门来。不过那老家伙有机会不会使，福报不够，天大好事竟然叫他差点惹来杀身之祸。"

郑三听了，灵机忽动，眨眨眼说："我会使。"没多少天，他就把自己祖传的北城根的两间瓦房，换到了海河边三间屋，开个面鱼店。自称自己和龙袍郑是同姓同宗同族，龙袍郑熬面鱼那两下子他都擅长，所以他开的面鱼店门口就挂起了"龙袍郑"的牌子。

做买卖靠旗号。谁不想品品皇上的口味？郑三的熬面鱼便成了天津卫小吃的名品。真龙袍郑亡命天涯，假龙袍郑日进斗金。日子一久，郑三就叫龙袍郑。那段故事便成了他店里天天讲的老事了。

千载一时

《醒俗画报》图画

千載一時
僕今游歷全球、足跡徧天下、所見所聞、最足動
我感情、增我快樂者、莫各處大中小學校之
學生、若露思演說一端、與學生之道
德智識、最有關係、適聞諸生大奏
美國國樂、復作中國國樂、於此見學
問之公、抑亦徵我中美兩國邦交之篤也
世人不察、恆謂此國政教之盛衰、與關於
彼國之休戚、此不諳世界大同之真理、
而文明之思想、猶未達於高度也
即就學問而論、與天下同利益、
如理財政治等學、經一人發明
以輸全世界、沾溉每恨其不
廣、彼醫學界之研究有得、
亦豈僅為救一國人之生命
已乎、譬如讀歷史、固可知前人之往事、然讀史之精神、
並不在知其陳迹已也、須擇其有關於時勢者而採取之、何者
實法、何者宜懲、善者鑒為可耳、歷觀歷史、凡人類之進步、
未有不出於流血者、此最可慘之事也、自後人民道德智
識日增、此慘苦宜急痛絕、僕前辦海牙平和會時、
曾主張議具贊成者並不只僕一人也、區區此志、深有望
於將來之學生、爲昨晤端午帥、談及學務、確有心得、以
學務最要之真者、又得深明教育之午帥、前途伊何可
賀、繼該憲政年卿又曾經游各國考查者、其將來實行
之有把握、亦敢斷言、劃鄙言已罄、不願多誤諸君之時間、所
盼禱者、一在諸青年共勵大同之思想、而文明競爭、一在諸
職員認教育為世界最大之事業、而與時進步、一在諸
來賓深究學問、併力進行、藉以謀邦交之敦篤、僕遠
渡、國族亦難忘今日之盛會也、況中國開化最早、其所以副
我盼禱者、又不只此數事、如是則中國幸甚、世界幸甚
右為美國前總統費在班宴七月初六日上午、

《醒俗画报》图画

李钱之踪迹

陈四送礼

陳四送礼

人世间最吃得开的有四大样：钱、权、爹、长相。有钱通神，有权比神还顶用，有好爹就是有靠山，长相俊招得人见人爱。可是单这些还不行。有钱有权还得会使，有爹有长相还得会用，这里边有一件要紧的东西不能缺——好法儿。

比方送礼，给官送礼，虽说官不打送礼的，可你能端着一盘子金元宝打人家大门进去吗？送礼得有送礼的法儿。天津卫最会给官送礼的是陈四，他打官场得到的恩惠也最多。书没读过几本，年纪轻轻已经做上邮政局的副局长。人说他每一步路都是拿礼铺出来的。陈四却说，官场从来路不平，有礼如履平地，没礼寸步难行。

陈四送礼的诀窍，是在人不知鬼不觉之间。礼要在暗处，送却要送在“明处”，这个“明处”学问可大着呢，它得叫受礼的人心知肚明，外人在场也看不出来。这礼怎么送法？

一日，陈四有一位做珠宝买卖的朋友戈老板，要在法租界的平安饭店宴请直隶省贾省长，陈四没见过贾省长，打早就想给省长送点礼拉拉关系，这是机会，便磨着戈老板带他去，把自己引见给省长。

戈老板说：“你可别当着我面送大礼，人家省长是有身份的人，不会当众收礼的，你要是叫我没面子，就把我的事也坏了。”

陈四笑道：“你当我是雏儿？真送礼，连你也绝看不出来。”

吃饭那天，戈老板把陈四引见给省长，人家省长和他一个小副局长差着十级八级，拿他只当见到的一条小狗。商场里谁有钱谁说话，官场里谁官大谁说话，根本轮不到陈四开口。陈四耐着性子等了好长时候才等出个空当，忽指着墙上一幅花鸟画说：“这画可不受看。”陈四早听说贾省长爱画，收藏的名人字画能装满一屋子。他想拿话勾起贾省长的兴致。

这一招果然生效。贾省长问：“怎么，你也懂画？”

陈四摇摇手中的筷子：“我不行，也不喜好，家父迷字画，老人家今年去世了，留下了一大堆字画，当初有钱置房子置地多好，结果一辈子把钱全扔在字画里了。如今这一大堆东西，不当吃不当穿，我看全是破烂，正忙着处理呢。”

贾省长一听，眉毛一扬，明显来了兴致。问道：“都是谁的画？”

陈四露出一副傻相，说：“我哪懂，人说名人就名人呗，省长懂画？”

贾省长迟疑一下说：“一知半解，喜欢看就是了。你知道你家那些画都是哪些人画的吗？”

陈四说：“好像一个叫嘛‘石’的，画上边还有几行字儿。”

贾省长马上说：“齐白石？”

陈四说：“这齐白石我知道，不是那个画螃蟹大虾的吗，没嘛好，也不能吃。我家有几卷，全叫我送人了。这个不是齐白石，只是名字也有个‘石’字，嘛嘛石，想不起来了，画得黑糊糊，看都看不清楚，瞎抹呗。等收破烂的来了，给他！”

贾省长稍一寻思，眼一亮：“傅抱石？”

陈四琢磨琢磨，忽叫道：“对——对！抱石，抱石，我还说画画这人名字真怪。抱着石头干嘛。这人有名吗？”

贾省长想一想，说："还算有点名，画也可以。"

陈四接过话说："黑糊糊一片还算可以？我反正不懂，省长想看，哪天我拿给您。今儿要不说起它来，说不定明天就卖破烂了。"他那神气像给丑闺女找到婆家，巴不得一下推给人家。

于是大家一笑，接着吃饭，省长也就和陈四有说有笑了。

戈老板虽然在座，没太听明白这里边的故事。他是个肚子没几滴墨水的人，回去找人一打听，才知道傅抱石非同小可，刚在南京办过大画展，惊动全城。细细寻思，这才明白陈四送礼的法儿之妙之高之绝。又过半年，戈老板听说陈四升了官，当上局长，不禁说：

"陈四送礼——你知我知，神鬼不知。这个人还能当上更大的官。"

药会详志

《醒俗画报》图画

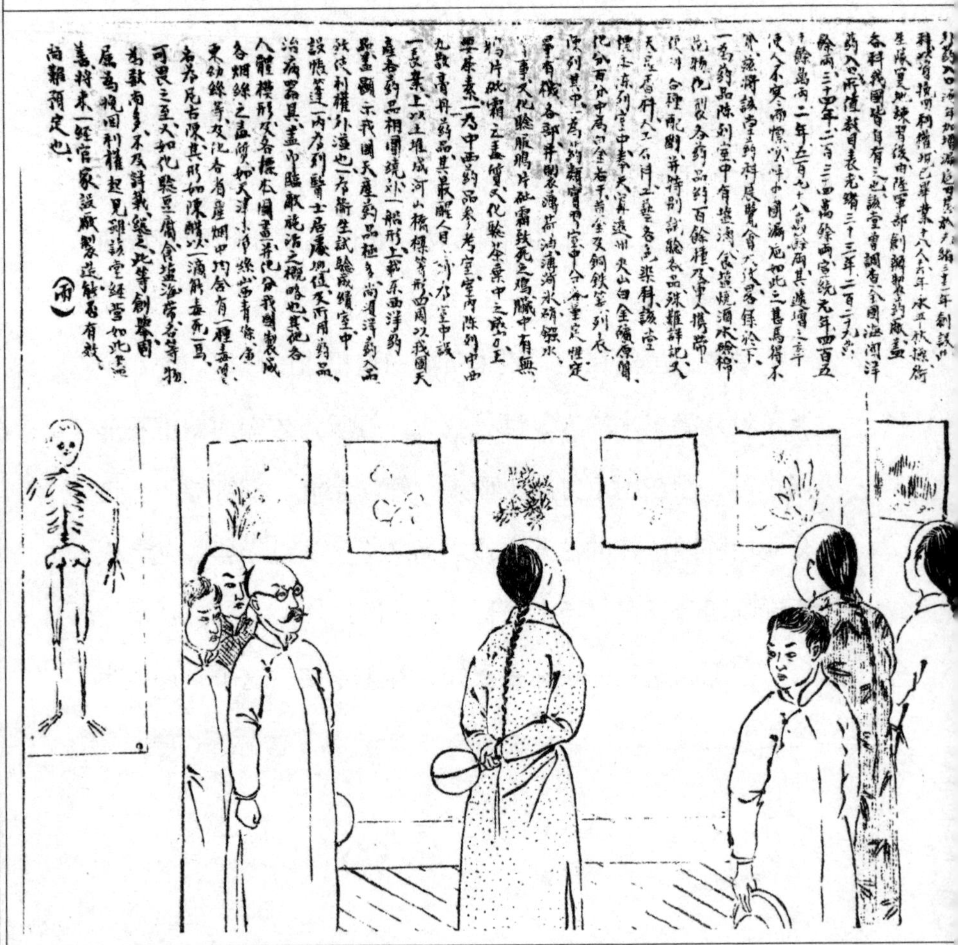

科學搜羅利權已畢業十八人六年冬五十秋操術
生臨實地練習後由陸軍部創辦製藥廠盡
各科我國皆自有之也該堂曾調查全國海關洋
藥入口所值款目表光緒三十三年二百二十六萬
餘兩三十四年二百三十四萬餘兩宣統元年四百五
十餘萬兩二年五百九十八萬餘兩其進增之率
使人不寒而慄以此中國漏卮如此之甚焉得不
亟亟講求該堂將該科展覽會大致略錄於下
一為藥品陳列室中有樟腦、鹽酸、燒酒、木餘棉
品物化製各藥品約百餘種及中人携帶
德國合種配劑並特別試驗各品殊難詳記又
天產藥科入口分門工藝各品業科該堂
標本陳列室中奉天寧遠州夾山白金礦原質
化分百分中含金若干並金及銅鐵等列表
陳列其中一為藥類實驗室中分合量定性定
量有機各部並列有薄荷油薄荷冰硝鏹水
等事又化驗服鴉片砒霜致死之鴨臟中有無
鴉片砒霜之毒質又化驗茶葉中之咖啡
嬰粟素一為中西藥品參考室室內陳列中西
丸散膏丹藥品其最醒人目者即本室中設
一長案上以土堆成河山橋樑等形四周以我國天
產各藥品相環繞外一船形上載東西洋藥
品蓋顯示我國天產藥品極多尚須洋藥入口
致使利權外溢也一為衛生試驗成績室中
設帳篷一內有列醫士居處規值及所用藥品
治病器具盡節臨敵施治之概略也其他各
人體模形及各標本圖畫並化分我國製成
各烟絲之毒質如天津小淨絲青條廣
東幼絲等及化合者產烟中均含有一種毒質
名爲尼古陳其形如陳醋以一滴能毒死一馬
可畏之至又如化驗豆腐食鹽海帶各等物
爲數甚多不及詳載總之此等創舉固
屬為挽回利權起見雖該堂經營如此之
善將來一經官家設廠製造能否有效
尚難預定也

《醒俗画报》图画

滦开将合

灤開將合
訪聞灤州煤礦已擬代表賀內滙礦等商合
辦之說查開平礦于直隸官紳數年
來奔走號呼極端力爭者今忽有將兩礦
合辦已耗費為詭異探得原因略誌
於下去年督憲陳小帥派員去英京交
涉合議由中國出價二百七十八萬磅
將開平礦地上地下及各處物產全數
收歸中國如無現款由中國度支部
擔保發給期債票亦可及陳小帥出奏後
度支部不敢擔此責任以該礦為
商業性質恐接辦積有不妥貽國家無
窮之累云云而奏駁（去年順直各紳
叔諮議局速次開會籌議接辦開礦并
舉代表赴京請求政府向英使力爭
然并未見諸實行開係因以上各節中止）
陳小帥經度支部議駁則爭接開
礦已無法再謀進行而灤開兩礦彼此減價
售煤互相抵制以致兩礦均受虧累
開礦雖曾飽得利益既有虧折亦能
據實惟灤礦正在幼稚時代已幾將
不支矣惟開礦振採已久灤礦則資脈廣
厚合辦亦無不宜以上各節或即兩礦
合辦之原因聞此議發起於英人如兩方面
商訂妥協然後再由英使與我外部
核議承任云
（丙）

卖驴肉

《醒俗画报》图画

燕子李三

光绪末年，天津卫出了一位奇人，叫燕子李三。他人叫李三，燕子是他的绰号。他是个天下少见的飞贼，专偷富豪大户，每偷走一物，必在就近画下一只燕子做记号，表示东西是他大名鼎鼎的燕子李三偷的。此贼牵涉到富贵人家，官府必然下力缉拿，但李三的功夫奇高，穿房越脊，如走平地。遇到河面还能用脚尖点着水波而行，从这岸到那岸，这一手叫作“蜻蜓点水”。轻功不到绝顶，绝对学不会这一手。

燕子李三的事闹了半年，在城里城外十多个富人家窃去的宝贝旁，留下了那个燕子的记号，府县的捕快使了不少计谋逮他，却连李三的影儿也没见过。有的说模样像时迁，一身紧身皂衣，长筒软靴，深夜出来行盗，人混在夜色里，绝对看不出来。有的说他长相和杨香武一样，嘴唇上留一撮两头向上翘的小黑胡，更是“燕子”的来历。于是一时间，留小胡子的人走在街上总会招人多看两眼。后来又有人说，什么时迁杨香武，都是戏迷瞎诌的。此人肯定长相平平，不惹眼，白天睡觉，半夜出行，像蝙蝠。

这李三怎么突然冒出来的？为嘛以前从没人说过？肯定是新近打外地窜来的。天津卫有钱的人多，有钱的人宝贝多，就把李三这种人招来了。传说这个李三是河北人，燕赵之地的人身上都有功夫，还有说得更有鼻子有眼——是吴桥人。吴桥人善杂技，爬杆走绳，如履平地。说法虽然多，谁也没见过。愈见不着愈瞎猜，愈猜愈玄愈神愈哏，甚至有人说这李三就是几个月前刚打外地调任天津的县太爷。县太爷是河北人，人瘦如猴，能文善武，还爱财。甭管是不是他，反正说来挺好玩，愈说愈有乐子。天津人就好过嘴瘾，往里是吃，往外是说；说美了和吃美了一样痛快。

不过这飞贼李三在人们嘴里口碑不坏。反正他不偷穷人的。不但偷富，还济贫。东门内一家穷人欠着房租还不上，被房主逼得无奈，晚上在屋里哭哭啼啼，忽然打后窗外扔进一包东西，打开一瞧，竟是不少银子，令这家人更惊奇的是，包袱一角画着一只小燕。这家人急忙出去谢恩人，跑到门外一片漆黑，早没了人影。听说最有机会看到李三长相的是蹲在城门口讨饭的裴十一。李三把一纸包钱亲手搭在他手心里，可裴十一是个瞎子，只捏到李三的手，这手不大却挺硬；虽然脸对脸，嘛也瞧不见。

这一来，李三在人们口里就更神奇了。

一天，燕子李三在天津卫，把偷窃一事做到了头——他偷到天津最大的官直隶总督荣禄老爷的家。

这天，荣禄的老婆早晨起来梳妆，发现梳妆匣子里的一个珍珠的别针不见了。这是她顶喜欢的一件宝贝，珠子大小跟葡萄差不多大，亮得照眼，这么大的珍珠在海里蚌里得五百年才能养成，当年荣禄想拿它孝敬老佛爷，她都死活不肯。丢了这东西跟她丢条命差不多。最气人的是在放别针那块衬绸上画了一只燕子，这纯粹是和荣禄老爷叫板！气得荣禄一狠劲咬碎一颗后槽牙。

荣禄也不是凡辈，他使个法儿：在大堂中间放一张八仙桌，桌面中央摆了总督的官印，上边罩一个玻璃罩子，然后放出话去，说当夜他要关上大堂门，堂内不设兵弁护卫，只他自己一人坐在堂上守候着官印，他要从天黑守到天亮，燕子李三有胆量有本事就来把官印取走！

这话一出，算和李三较上劲了，而且总督大人保准能赢。想想看，虽然大堂内没有一兵一卒，可是堂外必然布满兵力。大堂的门关着，官印在玻璃罩子里边扣着，总督又坐在堂上瞪圆眼守着，李三能耐再大，怎么取法？再说，门窗全都紧紧关着，怎么进去？钻老鼠洞？

当夜总督大人就这么干了。桌子摆在大堂上，官印放在桌面中央，罩了玻璃罩子；然后叫衙役退出大堂，所有门窗关得严严实实。总督大人自己坐在公案前，燃烛读书，静候飞贼。

从天黑到天亮，总督大人只在近五更时，困倦难熬时略打一个盹，但眨眼间就醒了。整整一夜没听到一点动静。天亮后，打开门窗，阳光射入，仆役们也都进来，只见那方官印还好好摆在那里，纹丝没动。总督大人笑了，说道："燕子李三只是徒其虚名罢了。"

然后，举起双手伸个懒腰，喝口茶漱漱嘴，喷在地上，预备回房休息。

这时，收拾官印的仆人掀开玻璃罩子时，忽然发现官印朝南一面趴一个虫子似的东西，再仔细一看，竟然是一只毛笔画的又小又黑的小燕子！燕子李三画的！

总督大人登时目瞪口呆，猜想是不是自己五更时那个小盹，给了超人燕子李三可乘之机，但门窗是闭着的，他怎么进来怎么出去的？衙门里上上下下没人能猜得出来。

真人能人全在民间，很快民间就有了说法。说李三是在大堂还没关门窗时飞身进来，躲在了大堂正中那块“清正光明”大匾的后边，待到总督大人困极打盹时，下来把事干了，然后重回匾后藏身，天亮门窗一开，趁人不备，飘然而去。

这说法合情合理。可是总督大人纳闷，他当时为什么不拿走官印，只在上边画个小燕？

人们笑道：官印？李三爷能拿却不拿，就是告诉你，那破东西只有你当宝贝，谁要那个！

《醒俗画报》图画

看戏挤死

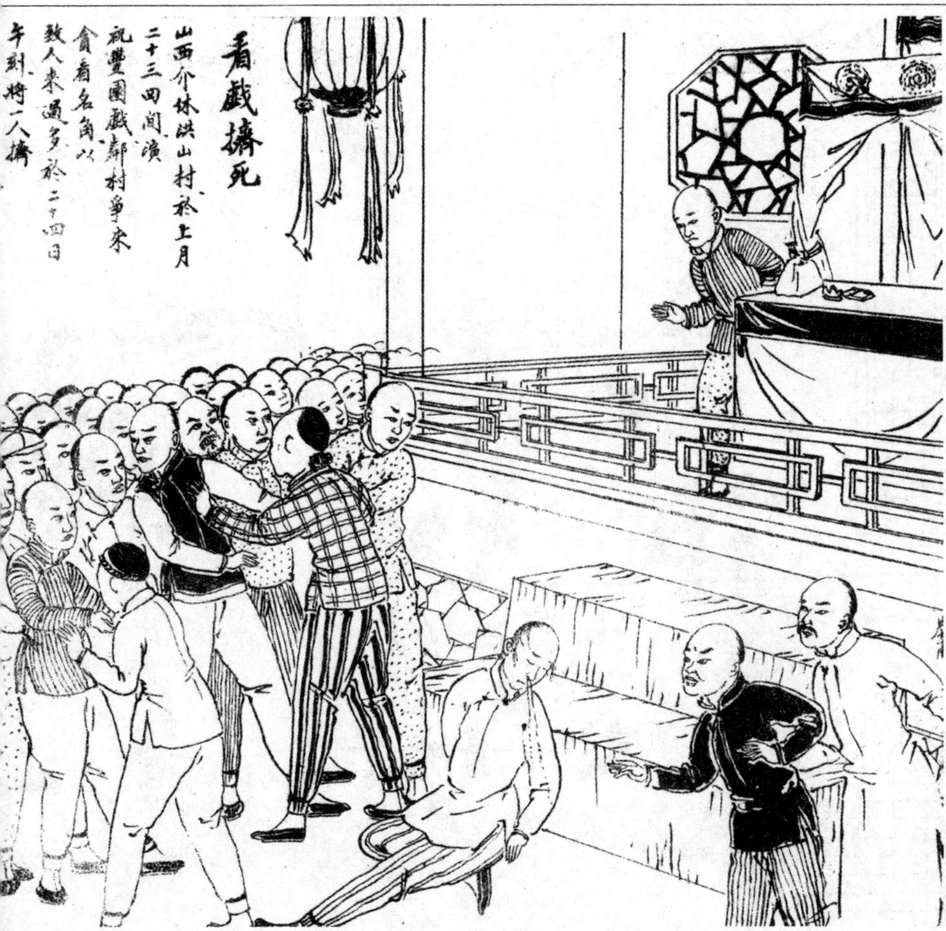

目无法纪

《醒俗画报》图画

土二莊通年
為賭匪聚集之處、內
有楊二者為
幫中領袖、適有人告
密到縣、秦大
令立派幹差前往拘
拿、楊匪竟糾
集在場賭徒數十人、
將汪姓朱姓
等四差綑縛吊打、嗣
經逃回之差
禀報被毆情形、秦大
令商之水巡、
隊官婁總廷率領兵
隊迅往解救、
並擒幫兇三賭匪以歸、

鼓一张

鼓一張

天津卫的杨柳青有灵气，家家户户人人善画；老辈起稿，男人刻版，妇孺染脸，孩童填色，世代相传，高手如林。每到腊月，家家都把画拿到街上来卖，新稿新样，层出不穷，照得眼花。可是甭管多少新画稿冒出来，卖来卖去总会有一张出类拔萃地“鼓”出来。杨柳青说的这个“鼓”字就是“活”了——谁看谁说喜欢，谁看谁想买，争着抢着买，这张画像着了魔法，一下子能卖疯了。

于是年年杨柳青人全等着这画出现，也盼着自己的画能“鼓”起来，都把自己拿手的画亮出来；这时候，全镇的年画好比在打擂。

这画到底是怎么鼓的？谁也说不好。没人鼓捣，没人吆喝，没人使招用法，是它自己在上千种画中间神不知鬼不觉鼓出来的。这画为嘛能鼓呢？谁也说不好。戴廉增和齐健隆[1]两家大店，画工都是几十号，专门起稿的画师几十位，每年新画上百种，却不见得能鼓出来；

1. 戴廉增、齐健隆：杨柳青年画鼎盛时期（清代光绪以前）最重要的两家画店。店铺设在镇上，规模大，品种多，印绘精美，影响甚广，今已不存。

高桐轩[1]画得又好又细，树后边有窗户，窗户格后边还透出人来；他的画张张好卖，可没一张鼓过。就像唱戏的角儿，唱得好不一定红。人们便说，这里边肯定有神道，神仙点哪张，哪张就能鼓；但神仙绝不多点，每年只点一张。这样，杨柳青就有句老话：

年画一年鼓一张，不知落到哪一方。

镇上有个做年画的叫白小宝。他祖上几代都干这行，等传到他身上，勾、刻、印、画样样还都拿得起来，就是没本事出新样子，只能用祖传的几块老版印印画画。比方《莲年有余》《双枪陆文龙》《俏皮话》，还有一种《金脸财神》。这些老画一直卖得不错，够吃够穿够用，可老画是没法再鼓起来的，鼓不起来就赚不到大钱，他心里憋屈，却也没辙。

同治八年立冬之后，他支上画案，安好老版，卷起袖子开始印画。他先印《双枪陆文龙》那几样，每样每年一千张；然后再印《莲年有余》，这张画上是个白白胖胖的小子抱条大红鲤鱼，后边衬着绿叶粉莲。莲是连年，鱼

1. 高桐轩：字荫章，天津杨柳青人，清末著名年画画师。曾入清廷如意馆作画，擅长工笔和界画，造型精美，画艺高超，著有《墨余索录》。

是富裕，连年有余。这是他家“万年不败”的老样子。其实，《莲年有余》许多画店都有，画面大同小异，但白家画上的胖小子开脸喜相，大鱼鲜活，每年都能卖到两千张，不少是叫武强南关和东丰台那边来人成包成捆买走的呢。

一天后晌，白小宝印画累了，撂下把子，去到街上小馆喝酒，同桌一位大爷也在喝酒。杨柳青地界不算太大，镇上的人谁都认得谁。这大爷姓高，年轻时在货栈里做账房先生，好说话，两人便边喝酒边闲聊。说来说去自然说到画，再说到今年的画，说到今年谁会“鼓一张”。高先生喝得有点高，信口说道：“老白，你还得出新样子啊，吃祖宗饭是鼓不出来的。”这话像根棍子戳在白小宝的肋骨上。他挂不住面子，把剩下的酒倒进肚子，起身回家。

一路上愈想高先生的话愈有气，不是气别人，是气自己，气自己没能耐。进屋一见画案上祖传的老版，更是气撞上头，抓起桌上一把刻刀上去几下要把老版毁了，只听老婆喊着：“你要砸咱白家的饭碗呀。”随后便迷迷糊糊被家里的人硬拽到床上，死猪一样不省人事。

转天醒来一看，糟了，那块祖传的老版——《莲年有余》真叫他毁了，带着版线剜去了一块，再细看还算运气，娃娃的脸没伤着，只是脑袋上一边发辫上的牡丹花儿给剜去了。可这也不行呀——原本脑袋两边各一条辫，各扎一朵牡丹花，如今不成对儿了。急也没办法，剜去的版像割去的肉，没法补上。眼瞅着这两天年画就上市了。好在这些天已经印出一千张，只好将就再印一千张，凑合着去卖，能卖多少就卖多少，卖不出去认倒霉。

待到年画一上市，稀奇的事出现了。买画的人不但不嫌娃娃头上的花儿少一朵，不成对，反而都笑嘻嘻说这胖娃娃真淘气，把脑袋上的花都给耍掉了，太招人爱啦！这么一说，画上的娃娃赛动了起来，活了起来！于是你要一张，我要一张，跟着你要两张，我要两张，三天过去，一千张像一阵风刮走，一张不剩。白小宝手里没这幅画了，只好把先前使老版印的双辫双花的娃娃拿出来，可买画人问他："昨天那样的卖没了吗？"他傻了，为嘛人人都瞧上那个脑袋上缺朵花的呢？

可他也没全傻，晚上回去赶紧加印，白天抱到市上。画一摆上来，转眼就卖光。一件东西要在市场上火起来，拿水都扑不灭。于是一家老小全上手，老婆到集市上卖，他在家里印，儿子把印好的画一趟趟往集市上抱。他夜里再玩命印，也顶不住白天卖得快。几天过去，忽然一个街坊跑到他家说："老白，全镇的人都嘈嘈着——今年你的画鼓了！"然后小声问他，"这张画你家印了几辈子了，怎么先前不鼓，今年忽然鼓了？"

白小宝只笑了笑，没说，他心里明白。可是往深处一琢磨，又不明白了，怎么少一朵花反倒鼓了？

年三十晚上，白小宝一数钱，真发了一笔不小的财。过了年他家加盖了一间房，添置了不少东西，日子鲜活起来。

他盼着转年这张画还鼓着，谁知转年风水就变了，虽说这张画卖得还行，但真正鼓起来的就不是他这张了，换成一家不起眼的小画店"义和成"的一张新画，画名叫作《太平世家》。六个女人在打太平鼓。那张画也是没看出哪儿出奇的好，却卖疯了，天天天没亮，义和成门口买画的人排成队挨着冻候着。

拒盗

《醒俗画报》图画

拒盗
青島埘近魚骨寺中有某、和尚近来四處乞化、頗有積蓄、忽有賊匪數人、夜入該寺、持刀向和尚索洋一千元、該僧素習槍棍、膽氣頗豪、即奪刀與衆賊撲鬥、當即刀傷二匪、餘匪亦均提散云、
按和尚用武、嘗于少林寺聞之、今該僧遇盗、果能奪械而鬥、以寡敵衆、洵禪門特色、豈少林之苗裔歟、方今剿匪需才、胡不偕該僧以去、

临榆有人

《醒俗画报》图画

臨榆有人
臨榆縣馬大令廣麟、平素以打麻雀
為性、即有緊要重大事件、亦非八圈
後不能辦理、國喪期內、並未停歇、
于前日因赴某紳家打牌、被該處
紳士谷某查知、欲行上控、馬遂
央人說合、許修城內鼓樓、為己動
工、日前又同藍協台並劉鹽商、
赴楊紳健候家內打牌、復經谷
紳抓獲、馬又央煩三府丁君出為
說合、情願罰修西城、始寢其事、
竊嘆日津中若有谷紳士、
地方籌款、當不為難、噫、
天津真無人也、
酒色財氣人之害

洋相

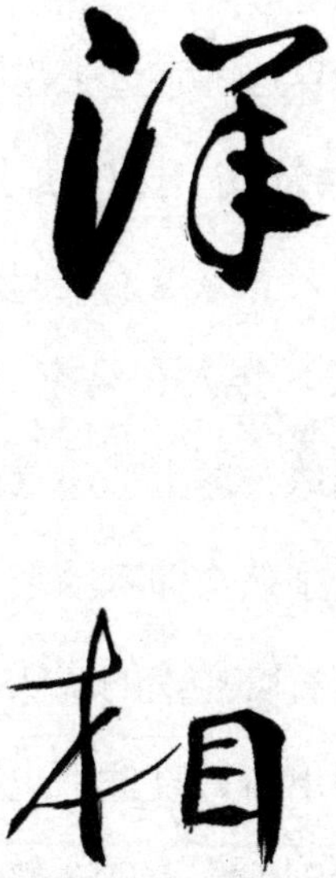

自打洋人开埠，立了租界，来了洋人，新鲜事就入了天津卫。租界这两字过去没听说过，黄毛绿眼的洋人没见过，于是老城这边对租界那边就好奇上了。

开头，天一擦黑，人们就到马家口看电灯，那真叫天津人开了眼。洋人在马家口教堂外立根杆子，上面挂个空心的玻璃球，球上边还罩个铁盘子，用来遮雨。围观的人不管大人小孩全仰着脑袋，张着嘴儿，盯着那个神奇的玻璃球，等着瞧洋人的戏法。天一暗下来，那玻璃球忽地亮了，亮得出奇，直把下边每张脸全都照亮，周围一片也照得像大太阳地，人们全都哎哟一声，好像瞧见神仙显灵了。洋人用嘛鬼花活儿叫这个玻璃球一下变亮的?

再一样，就是冬天里去南门外瞧洋人滑冰。南门外全是水塘河道，天一上冻，结上光溜溜的冰，那些大胡子小胡子和没胡子的洋人就打租界里跑来，在鞋底绑上快刀，到冰上滑来滑去，转来转去，得意之极。他们见中国人聚在河堤上看他们，更是得意，原地打起旋儿来，好比陀螺。有时玩不好，一个趔趄摔屁股蹲儿，或者大仰八叉躺在冰上，引来众人齐声大笑。当时有位文人的一首诗就是写这情景：

脚缚快刀如飞龙，
舒心活血造化功，
跌倒人前成一笑，
头南脚北手西东。

不久，就有些小子去到租界那边弄洋货，再拿回到老城这边显摆。一天，一个小子搬了个自鸣钟到东北角大胡同的玉生春茶楼上，摆在桌上，上了弦，这就招了一帮人围着看，等着听它打点。到点打钟，钟声悦耳，这玩意儿把天津人镇住了，茶楼上一天到晚都坐满了人，把玉生春的老板美得嘴都并不上了，说要管那个抱钟来的小子免费喝茶吃东西。没过十天，玉生春又来个中年人，穿戴得体，端着一个讲究的锦缎包，先撂在桌上，再打开包，露出一个挺花哨的镏金的洋盒子，谁也不知干嘛用的。只见他也拧了弦，可不打点，盒里边居然叮叮当当奏出音乐，好听得要死。人称这小魔盒为“八音盒子”。这一来，来玉生春喝茶看热闹的人又多一倍，连站着喝茶的也有了。

不多时候，老城东门里大街忽然出现一个怪人，像洋人，又不像洋人，中等个，三十边儿上，穿卡腰洋褂子，里边小洋坎肩，领口有只黑绸子缝的蝴蝶，足蹬高筒小洋靴，头顶宽檐小洋帽，一副深色茶镜遮着脸，瞧不出是嘛人。看长相，像洋人，可是再看鼻子小了点。洋人鼻子又高又大前边带钩，俗称“鹰钩鼻子”；这人鼻子小，圆圆好赛小蒜头。

这怪人在街头站了一会儿，忽然打腰里掏出一个小纸盒，从里边抽出一根一寸多长的小细木棍儿，棍儿一头顶着个白头。他举起小木棍儿，从上向下一划，白头一蹭衣褂，嚓地生出火来，把木棍儿引着，令街上的众人一大惊，不知怪人这小棍儿是嘛奇物。怪人待手里的小木棍儿烧到多半，扔在地上，跟着从小盒再抽一根，再划，再生火，再烧，再扔。就这么一连划了十多根，表演完了，嘛话没说，扬长而去。

从此天津人称怪人这种“一划就着”的玩意儿叫“自来火”。

怪人走后十天，又来到东门里大街上，换了穿戴，领口那蝴蝶换只金色的。他又掏出自来火，划着；可这次没扔，而是打口袋又掏出一个纸盒来，这纸盒比自来火那纸盒大一号，上边花花绿绿印了一些外国字；他从盒里抽出一根，这根不是木棍儿，而是小拇指粗细大小白色的纸棍儿，他插在嘴上，使自来火点着，街两边的人吓得捂耳朵，以为要放炮。谁料他点着后不冒火，只冒烟；他嘬了两口，张嘴吐出的也是烟。人们不知他干嘛，站在近处的却闻出一股烟叶味，还有股子异香。去过租界的人知道这是洋人抽的烟。原来洋人不抽烟袋，抽这种纸卷的怪烟，烟不放在腰间，藏在衣兜里。

从此天津人称这种洋烟叫“衣兜烟卷”。

这一阵子老城东门里大街上天天聚着一些人，有的人就是等着看这怪人和怪玩意儿。可是他不常露面，一露面就惹得满城风雨。一天，他牵来一只狗。这狗白底黑花，体大精瘦，两耳过肩，长舌垂地，双眼赛凶魔，它从街上一过，连街上的野狗不单吓得一声不出，一连几天都不敢露头。

人要出头出名，就该有人琢磨了。这怪人到底是谁，是真洋人还是冒牌货？不久就有两样说法截然相反。一说，他家在西头，父亲卖盐，花钱不愁，近些年父亲总在南边跑买卖，没人管他，他特迷洋人，整天泡在租界里，举手投足都学洋人。另一说，这怪人是地道洋人，刚到租界才一年，觉得老城新鲜，过来逛逛而已，听说还会说一句半句中国话。进而有人说这怪人是英吉利人，叫巴皮。

那时候，天津卫闹新潮，常有人演讲。讲新风，反旧习，倡文明。演讲的地方在估衣街谦祥益对面的总商会，主办是广智馆。一天，总商会又有演讲会，先上来一位先生站在台前，向台下边听众介绍一位来自租界的贵宾。跟着怪人出现了，还是那身穿戴，脖子上的蝴蝶又换成了白底绿格的了。他上来弯下腰手一撇，行个洋礼，说几句洋话。

下边一个学生说："他说的是哪国话？不像英文。我可是学英文的。"

这下人们就议论开了。

下边忽有人叫道："你是叫巴皮吗？"

这怪人好似生怕给别人认错，马上说："我就是巴皮。"

下边人接着问："你打哪儿学的中国话，怎么还是天津味的？”

这话问过，众人一寻思，怪人刚刚说的话还真有点天津口音。

怪人一怔，不好答。下边人又问：“你爹是谁？”

怪人又一怔，马上把话跟上说：“米斯特·巴皮。”

没想到下边问话这人放大嗓门说：“小子，睁大眼看看我是谁？我才是你爹！我刚打广东回来。巴皮？巴嘛皮？快把这身洋皮给我扒下来回家！别在这儿出洋相了。”

自打这天，天津人管学洋人装洋人的叫作“出洋相”。

现在人说的“出洋相”，这典故就是从这件事来的。

《醒俗画报》图画

请延死期

請延死期
安重根即安應七、其處死刑之期、自請延至西本月二十五日(即中歷二月十五日也)執行之、聞在旅順之日法院業已許可、延其死期、按二月十五日、乃天主教之佳節、(乙)

滑稽画

《醒俗画报》图画

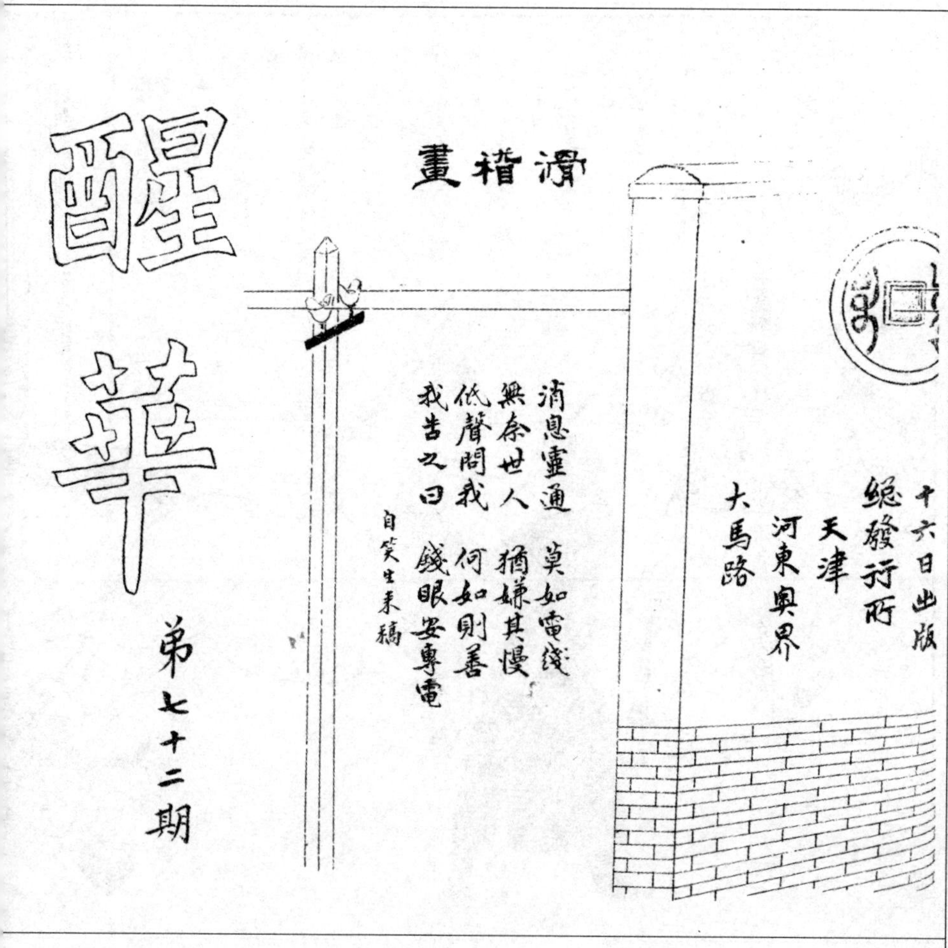
醒華
滑稽畫
消息靈通　莫如電綫
無奈世人　猶嫌其慢
低聲問我　何如則善
我告之曰　錢眼安專電
自笑生來稿
十六日出版
總發行所　天津　河東奧界　大馬路
第七十二期

惊马伤人

《醒俗画报》图画

驚馬傷人
日前晚間有驚馬一匹跑至
南市大街
誤將洋車碰翻摔傷坐客
勢甚沈重
當由該處崗警上前扭住
帶局管押
俟將原主尋獲再行歸案
以便核辦
（甲）
脫韁之馬其勢洶洶路人
遇之鮮
不辟易若非崗警之敢
于當馬
其闖禍真不可思議也圖
以褒之

黄莲圣母

黄蓮聖母

庚子闹义和团时，天津大乱，入夜城门不关，灯火通明，人不睡觉，满街乱窜。一群群打河北山东来的义和团拥入津城，衣服的前胸后背写着各自的八卦字符，扎各色的包头，举着自己的旗号，佩剑提刀，提棍拿枪，神气也不一样：有的狂喊乱叫，有的举动齐刷刷，有的全都阴沉着脸，口不出声，面带杀气，后槽牙咬得咯吱咯吱响，叫人不寒而栗。入城之后先立坛口、竖旗幡、升黄表、挂红灯，城中百姓马上把大饼、馒头、咸菜、大葱和香喷喷的油食一车车送来。听说义和团马上就要和租界里的洋人大打一仗了；马家口和老龙头那边已经有了火光，冒着黑烟，枪声一会儿紧一会儿松，义和团正在那边烧洋人的“狗窝”。

老城里人居十万，义和团一来至少二十万。这些年天津人和洋人打过不少仗，不管打赢打输，从来不怵洋人。

六月初的一天傍晚，城中各团都跑到北城外，沿着南运河两岸，人马整齐列出阵势，一片刀光剑影连同呼呼燃烧的火炬，倒映在河中。可是这么大场面居然听不到半点人声，静得出奇，也静得吓人，据说是黄莲圣母带领的红灯照的船队由南边开来了，说到就到。

这些天有关红灯照神兵天降的消息传遍津城。有一张揭帖贴满了城里城外，上边的话口气凶猛：

“男练义和拳，女练红灯照。踹开紫竹林，大刀砍洋人。”

这揭帖上的“洋人”两字还用朱笔勾了，只有死刑告示才用这写法。据说这帖子贴到了紫竹林，把洋人吓得不敢上街，窗帘都拉得死死的。

可是红灯照嘛样，谁也没见过。都说是些大姑娘小媳妇，穿一身红，个个貌美如天仙，手里握着灭洋人的法术。首领黄莲圣母长相美过天仙，好赛天后宫里的娘娘像；要说她武艺之强和法术之高，各团大师兄都差一大截。

眼瞧着，南运河上真的来了一队大船，桅杆上挂满红灯，一直开到贾家胡同停住，红灯照们出舱登岸，个个红裤红袄，背插银刀，一手拿红纱折扇，一手提红绢灯笼，灯光照在脸上，真比戏里的杨门女将还好看还神奇。

站在岸上的义和团规矩很大，一见红灯照，一齐单手竖立胸前打问心，同时低下头来，不能瞪着眼瞧。黄莲圣母不出舱，不露面，各团大师兄全要进舱拜见。大师兄张德成、曹福田、刘呈祥等站成竖排依次入舱时，神态虔敬之极，好赛进庙拜佛。

这一来，就招得天津人对身世不明的黄莲圣母胡猜乱想。有人说她名叫林黑儿，就是喝海河水长大的本地人，自小从父学武，随父卖艺，父亲惹了洋人入狱死了，她怀恨报仇。也有人说她根本不是凡人，是王母娘娘附体，能降神火烧掉紫竹林，直到把海水烧干，洋船开不进来；天津码头人杂嘴杂，有的说她是河东那边跳大神的巫婆，甚至说她是侯家后妓院里一个挺邪性的土娼。坏话一出来就会占上风。

三天后一早，红灯照忽然全从舱里出来，在岸上列队。霎时间，三千红灯照背插钢刀站成一片。右手提灯，左手执扇。黄莲圣母仍然没露面，由一位头发梳成高髻的“三仙姑”引着排队入城。城中义和团早已分列街道边，守护着红灯照。红灯照一进城门，便一齐跺脚。数千人跺脚响声震地，尘土遮天，铺天盖地，气势压人。这便是红灯照出名的“跺城”；跺城就是压邪气，镇洋人。

红灯照先在城里跺了一圈，然后来到西城里的教堂前。五百红灯照摆出一个阵势，突然一个四人抬的轿子出现，好赛由天而降，轿子直对教堂，敞开轿帘，还是无法瞧到里边的人，可是人人都知道黄莲圣母就坐在轿子里。不知黄莲圣母在轿子里施了嘛法术，只见站在轿边的三仙姑跑到教堂门前，一脚踹开教堂门，回头大叫一声：“烧！”

五百红灯照上去把手里的红灯一齐扔进去，登时教堂里边轰轰炸响，大火黑烟冲天而起。五百红灯照同时举起左手，朝着大火摇起了手里的小折扇。小扇如有神力，眼看着火势猛起，愈烧愈旺。在众人呼喊助威声中，顷刻教堂已烧成了一个黑糊糊的废砖窑，然后稀里哗啦成了一片废墟。

黄莲圣母大显神威的事，传到总督裕禄的耳朵里。三天后裕禄把黄莲圣母和张德成、曹福田等师兄请到了三岔河口的总督衙门，共议攻打紫竹林洋人的大事。至于裕禄与圣母怎么见的面，说了嘛话，谁也不知。只是抬轿子的轿夫听到裕禄问圣母：“洋人会打进天津城吗？”圣母隔着轿帘只说了三个字：“不当紧。”这话好赛没说出嘛，可是细一琢磨，这话却是又大气，又有根，拿着天大的事不当事，叫裕禄心里有了底，喜笑颜开，当下送了圣母一大捆黄布做旗子。

黄莲圣母回去就用这捆黄布做了一个特大的幡旗，足足两丈长，上缝四个墨色绒布大字：黄莲圣母。周围镶一圈金色的流苏，高高挂在大船的桅杆上，两边再配上两串红灯笼，威风十足，入夜之后更加照眼。天津百姓天天晚间跑到贾家胡同口对着这大船摆案烧香，拿她当神仙，求她保平安。各种坏话全给一扫而空。

红灯照每隔七天踩城一次，给自己壮势，给义和团师兄们壮威，也给津城百姓壮胆。过了些天，仗打起来，踩城更是必不可少。每踩一次城，天津人觉得浑身的力气和精神都加了一倍。于是踩城改做每隔三天一次，后来干脆就一天一次了。姑娘们一忙就来不及梳妆，头发蓬散着，衣衫皱巴巴，可是在炮火里，谁还看穿戴，要的是精气神。她们踩城时便一边跺脚，一边唱道：

妇女不梳头，砍掉洋人头。

妇女不裹脚，杀尽洋人笑呵呵。

打仗时，红灯照常常出征，飞天降火，火烧租界。每烧一次租界，就有一个红灯照，手举黄色三角得胜旗，骑着马跑回来报喜，完事把旗子插在船篷上。这时候，关于黄莲圣母的说法又多又神，却一直也没人见到她的模样。想想看，一个女子，能带数千女兵，威震津城，叫朝廷命官一品大臣也弯下腰来，还飞身杀入洋人刀枪中出生入死，能是凡人吗？若是凡人，不就更叫人佩服得五体投地了？

庚子之战，义和团败了，红灯照大多不知去向。前一阵子，洋人们给红灯照吓得尿了裤子，现在闯进天津城，见到穿红衣女子就开枪，其实他们枪杀的红衣女子未必都是红灯照。天津人素来以红色为喜庆，女子好穿红衣。这一来，事后二十年，天津城里看不见穿红衣服的女子了。

至于黄莲圣母的下落，无人能说清楚；或战死、或隐匿、或被俘，其说不一。据说洋人在三岔河口一带抓到了黄莲圣母和三仙姑，一度关在总督衙门的大牢里，洋人还给她俩拍了照片，后来被作为战利品押到西方展览。是真是假，再没有一点消息和凭据。

这说法天津人不认头。天津人说，照片上这两个被俘虏的女子，看上去是普通人家的妇女，肯定是洋人为了炫耀武力，瞎编的。连天津人都没一个见过黄莲圣母，洋人凭嘛说是？这只能说，洋人虽然打赢了，可心里还是怕咱的黄莲圣母。

上梁

《醒俗画报》图画

上梁
天津風俗圖之三十二
凡是修蓋房屋。豎上柱梁以後。唯獨當中的那一根梁。留着不上。必要擇一吉日吉時。先在當屋立一根極高的柱子。把篩子弓箭。彩綢等物。綁在上邊。然後用紅帋寫上梁大吉四字。貼在梁上邊。用紅布裹好。又寫立柱喜逢黄道日。上梁正遇紫微星。一副對聯。貼在柱子上。到了吉時。把梁安穩。主人衣冠香燭叩拜。瓦木作還要念喜歌。主人都要賞錢的。名曰酒錢。要是富戶。還要請瓦木作工人吃一頓喜麪哪。
恭甫

《醒俗画报》图画

闹来罢市

《醒俗画报》图画

幼儿妙技

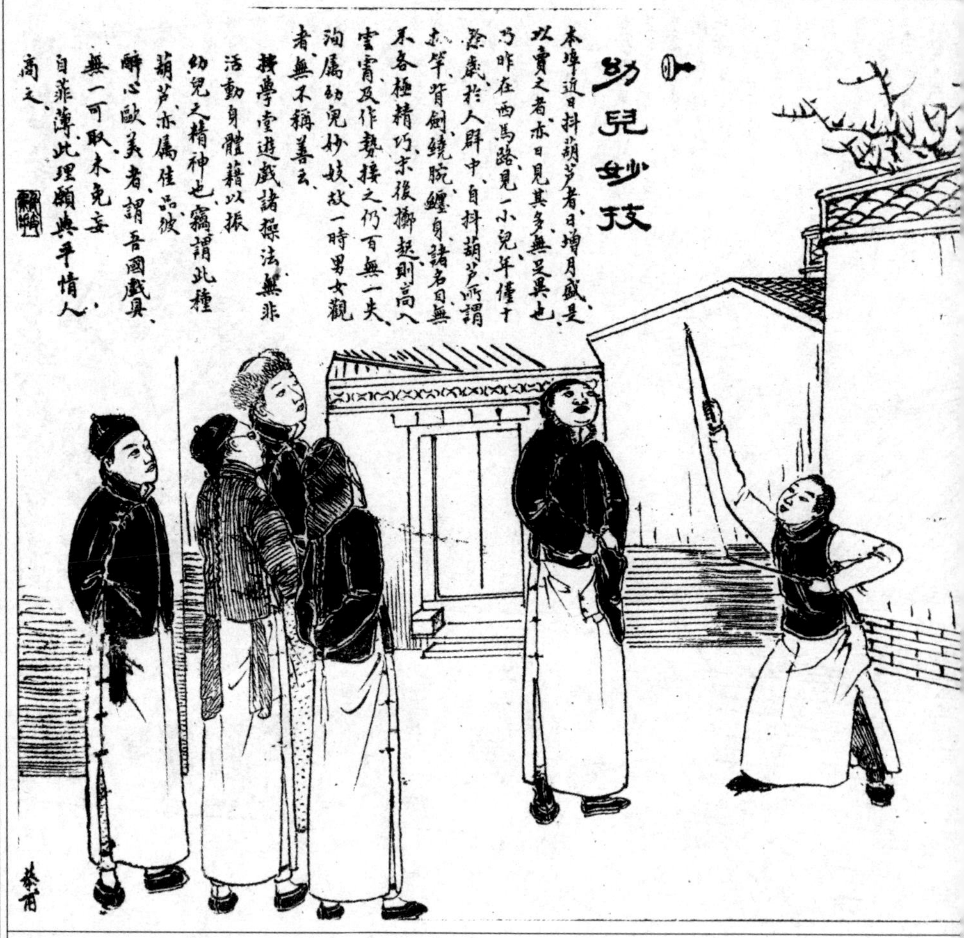
幼兒妙技
本埠近日抖葫芦者日增月盛、是
以賣之者亦日見其多、無足異也、
乃昨在西馬路見一小兒年僅十
餘歲、於人群中、自抖葫芦、所謂
亦竿、背劍、繞腕、纏身、諸名目無
不各極精巧、末後擲起、則高入
雲霄、及作勢接之、仍百無一失、
洵屬幼兒妙技、故一時男女觀
者無不稱善云、
按學堂遊戲諸操法、無非
活動身體、藉以振
幼兒之精神也、竊謂此種
葫芦、亦屬佳品、彼
醉心歐美者、謂吾國戲具、
無一可取、未免妄
自菲薄、此理顯與乎情人、
商之、

甄一口

甄

一

口

要说喝酒，谁也喝不过甄一口。

酒量，没边儿；各种酒杂着喝，没事儿；喝急酒，多急多猛多凶都不含糊。他喝啤酒时仰着脑袋，把酒瓶倒立在嘴上，手不扶瓶子，口对口，不用去喝，一瓶酒一下倒进胃里，只过食管，绝不进气管，要呛早呛死了，还有谁能这么喝？他能一晚上两箱啤酒，二十四瓶，全这么下去。“甄一口”的大号就这么来的。

有人不服，说他是县长，喝酒不花自己的钱，敞开喝，想喝多少喝多少，这么喝狗也能练出来。可是，本事是练出来的，海量不醉是人家天生的。甄一口从来就没醉过。甄一口说：“我娘说过，我要真醉就醒不过来了。”

别人只当笑话，可是老娘的话绝不能当假。这话先撂在这儿。

有人问，几十瓶酒进身子里，都放哪儿了。这话问到关口，也问到喝酒的门道上了。人喝酒，酒进身子，但不能只进不出；肚子有多大，能装二三十瓶酒？身子里的酒必得排出去，俗话叫出酒。能喝酒的人必能出酒，出酒的地方各不相同。有的尿，从下边排出来；有的倒，从上边吐出来；有的冒汗，从浑身汗毛眼儿发出来。纳税局一位局长上酒桌，必带一块毛巾擦汗，喝完酒，毛巾赛从酒缸里捞出来的。

甄一口都不是，他另有一绝——从脚上出来。

他不喝酒时，脚是旱脚；喝酒时，脚是汗脚。

打脚上冒出来的可不是汗，是酒。上边的嘴进的酒多，下边的脚出的酒就多。每次赴宴，绝不穿丝袜和皮鞋，必穿线袜布鞋，皮鞋憋酒，布鞋吸酒。他的随从还要事先在他座位前落脚的地方，放一小块厚毛毯，为了好吸酒。每每酒终人散，他两只脚像从酒河里蹚过来的。回到家第一件事是热水泡脚，把脚上的残酒泡去，要不就成醉鸡醉鸭了。因此，甄一口两只脚从不生脚气，光滑白嫩，好似一双妇人足。

某日，甄一口去上司那里开会，会后正要返回，被一位上司留下吃饭谈事，这上司是他的“现管”，自己升迁的梯子在人家手里，不能谢绝，只好说好。随行却对他说：“县长您今天喝酒可得悠着点，您没穿布鞋，小毯子也没带着。”甄一口说：“我有根。”可是上了饭桌上了酒，就另一码事了。开头，甄一口压着量，推推挡挡；可是这位领导馋酒，就不好硬推硬挡。偏偏上司七八盅下去就上头，上兴，来劲；再七八盅下去，就较上劲了。冲他叫着："都说你大名甄一口，喝啤酒时嘴和瓶子口对口，眼见为实，今儿我得亲眼看看，不然就是瞧不起我。"

甄一口被降住了，不能不喝也不敢不喝，一箱啤酒就搬上来，开箱开盖；两人说好，甄一口啤酒一瓶上司白酒一盅。上司的酒多半趁乱倒掉，甄一口却货真价实。他把一瓶啤酒举上头顶，脑袋朝后一仰，就势手腕一翻，瓶口立在嘴上，嘴巴没动，脖子笔直，顷刻满满一瓶酒灌进肚里，再一翻腕，空酒瓶放在桌上；这种喝法，天下无二。

上司看得高兴，大呼"人才难得"，随手又操起一瓶啤酒"哐"地放在甄一口面前，喝道："再来！"既是赞许又是命令，更想大开眼界。这就一瓶一瓶干下去了。

不一会儿，甄一口就觉脚热，脚烫，两只脚呱唧呱唧不舒服。心想不好，自己的脚出酒了，皮鞋不透水，怎么办？没等他想明白，脑袋已经想不了事了。

事后甄一口的随从说，他给县长脱下皮鞋时，每只鞋窝里足有一瓶酒。

甄一口到头来，还真的应上他娘的那句话：要是真醉就再醒不过来了。

可是他娘是怎么知道的？

滑稽画

《醒俗画报》图画

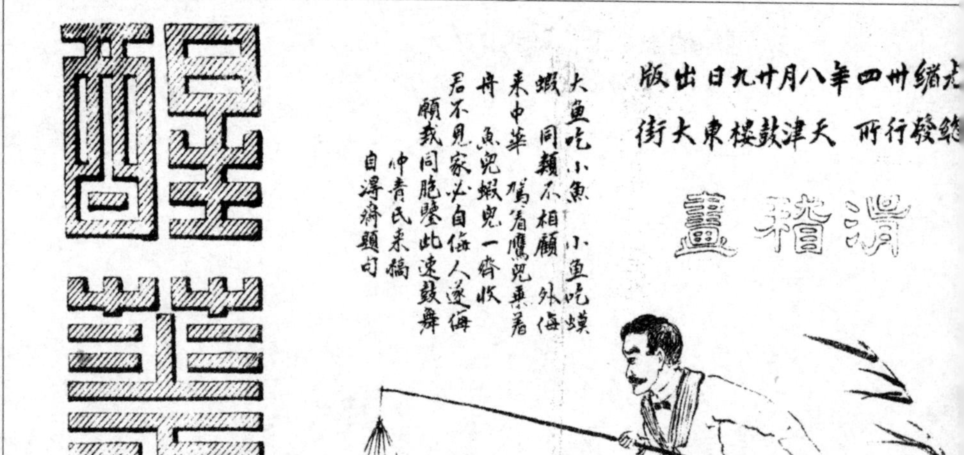

光緒卅四年八月廿九日出版
總發行所 天津鼓樓東大街
滑稽畫
醒俗
第三十期
大鱼吃小魚 小鱼吃蟆蝦 同類不相顧 外侮來中華 鴈看鷹兒乘着舟 魚兒蝦兒一齊收 君不見家必自侮人遂侮 願我同胞鑒此速鼓舞
仲青氏來稿 自得齋題句

《醒俗画报》图画

会办会点戏

會辦會點戲
初五日興華茶園晚演何翠寶海上繁華新戲也故座客為之滿乃有口口局會辦劉某（住三馬路）攜春往觀以洋銀六十元點何翠寶改唱落馬湖座客均大為掃興倍極怨懟

《醒俗画报》图画

穷候补之殊遇

后记

这部《俗世奇人》（贰）的初稿早在前年国庆的假日里就写出来。

近二十年忙于遗产抢救，无暇写作，大部分小说都殁于腹稿中。每年只有国庆与春节的假日是空闲的，可以让位于我的绘画或写作。于是前年的国庆，抓住那几天一口气写下这部《俗世奇人》（贰）的初稿。然而，此后整整一年都在为古村落的抢救奔波，再难找出时间来修改，每当想起这未竟的手稿，都会隐隐心急。

近日腿疼休息些日子，得以来修改此稿，再不敢懈怠，我知道，我欠自己文学的时间真是太多了。

改好此稿，于自己的文学也是一种补偿吧，因记之。

2015年3月19日

《醒俗画报》（插图解释）

清代末期，上海和天津等一些大城市，一方面随着城市化的进程加快，一方面缘自西方印刷术的传入，现代媒体油然而生。与文字媒体一先一后进入社会的是大众化的石印画报。

上海最出名的是《点石斋画报》，天津百姓喜闻乐见的是《醒俗画报》。说起“醒俗”，就要提到当时的社会。由于政治的软弱，世风萎靡，外侮日切，一些有责任感的文化人便站出来，或兴办教育，或立坛宣讲，或创办报刊，主张铲除社会陋习与种种痼疾，开启民智，振兴中华。在这样的背景下，就不难看出《醒俗画报》中“醒俗”二字的立意了，那便是要把民众从习惯而不自觉的种种陋习中唤醒，承担起共同兴国的重任。

《醒俗画报》和上海的《点石斋画报》，都创办于光绪年间，也同样使用单面有光的粉画纸和当时先进的石印技术，方形开本，每本十张折叠页，每页两面印刷，凡二十图，十天一期。刊物一开始就有鲜明特色。它面向大众，内容全是图画新闻，大至时政要事，小到市井信息；识字者看字，不识字者看图，很像大本的“小人书”，物美而价廉，一时颇受欢迎。故而很快就改为五天一期，一月六期。

《醒俗画报》的主办者是几位新学的倡办者。社址设在西北城角自来水公司旁一座小楼内，后迁到城内广东会馆附近的平房里，条件简陋，但主笔却是津门一位知名的文化人陆辛农先生。

陆先生个子不高，为人爽利，能书擅画，喜欢植物学和制作标本，精于小写意花卉。记得我年轻时在国画研究会工作，见过他几次。他年事虽高，却说话朗朗有声，十分健谈，喜欢开怀大笑。他对津门掌故知之颇多，常在报端发表文章，笔名“老辛”。文章中怀古论今，总是包含许多珍贵的史料细节，观点也很开放，他属于那个时代的开明人士。因而他主编的《醒俗画报》，自然是内容鲜活，视野开阔了。

《醒俗画报》还邀请一位名叫陈懿（字恭甫）的画家作图。陈先生是一位市井名家，善画时装人物。这在当时充斥古装仕女和山水花鸟的画坛上是很难得的。陈恭甫的画很写实。他虽然不像上海吴友如那样精工细致，却密切配合新闻，画得很快，半工半写，但极有生活气息。在今天看来，画中许多场面，都是今日再难见到的历史生活的图景。

《醒俗画报》具有很强的批评性，这是上海的《点石斋画报》所不具备的。它始自创刊，每期封面都是一幅“讽画”。用辛辣而幽默的笔法，鞭挞丑恶，抨击时弊，特别是直接针砭官场的种种腐败，在当时是颇需要勇气和胆量的。这些直接介入生活与现实的办刊方针，贴近了百姓的所思所想，自然受到世人的欢迎。尤其当时“漫画”一词尚未流行，讽画应是最具时代精神的新型画种。

也正为此，《醒俗画报》经历了一次很大的挫折。

1906年初夏，庆亲王之子载振赴黑龙江视察而途经津门，天津南段警察局长段芝贵为了谋求黑龙江巡抚职务，用巨金买伶人杨翠喜向载振行贿。这桩“美人贿赂案”

惊爆于世后，津门画家张瘦虎画了一幅讽画名为《升官图》——这应是中国漫画史第一幅反腐败的漫画了。他投稿给《醒俗画报》，揭露这一丑闻。刊物的主办人吴子洲胆小怕事，阻挠这一图画新闻的发表，因之主笔陆辛农与另一刊物主办人温子英愤然而去。一时此事也成了新闻。

后来，解体后的《醒俗画报》改名为《醒华画报》。馆址迁至当时的奥租界大马路（今建国道）。办刊的方针并没有改变，一直坚持着《醒俗画报》创刊以来锐意批评的思想倾向。尤其是在图画新闻上的自由评点，犀利而尖刻，为全国任何同类刊物所不及。此外，还增加了绘图小说、科技常识、趣味猜谜等内容，更符合大众生活的需求。至于封面图案，一直采用讽画，风格一如既往。《醒华画报》的寿命不短，从清末跨时代地一直办到民国初年（1913年）。

陆辛农与温子英离去后，在日租界旭街德庆里内另办一份《人镜画报》，开本比《醒华画报》略略横长一点，只是文字采用了新式的铅字印刷。办刊主张和《醒俗画报》没有两样，也是用讽画来做封面，只是增加了文字版面，更适合识字的人阅读。相对平民性也就差一些。

这样，一时天津就有了两份画刊——《醒华画报》与

《人镜画报》。

在中国封建时代的最后几年，天津出现的这些画报，显示了这个城市文化人对国家命运的关切，以及自愿担当的唤醒民众的责任，而且敢写敢画，富于勇气。今日读了，仍心生敬佩。

由于《醒俗画报》和《醒华画报》的一些图画具有很强的真切性与生活气息，这里便选择其中若干作为本书的插图。图中内容与小说的故事并不相干，但文耶图耶却都属于同一时代。这样做的目的，乃是想有助读者进入、感受与认知那个时代是也。

2008年6月

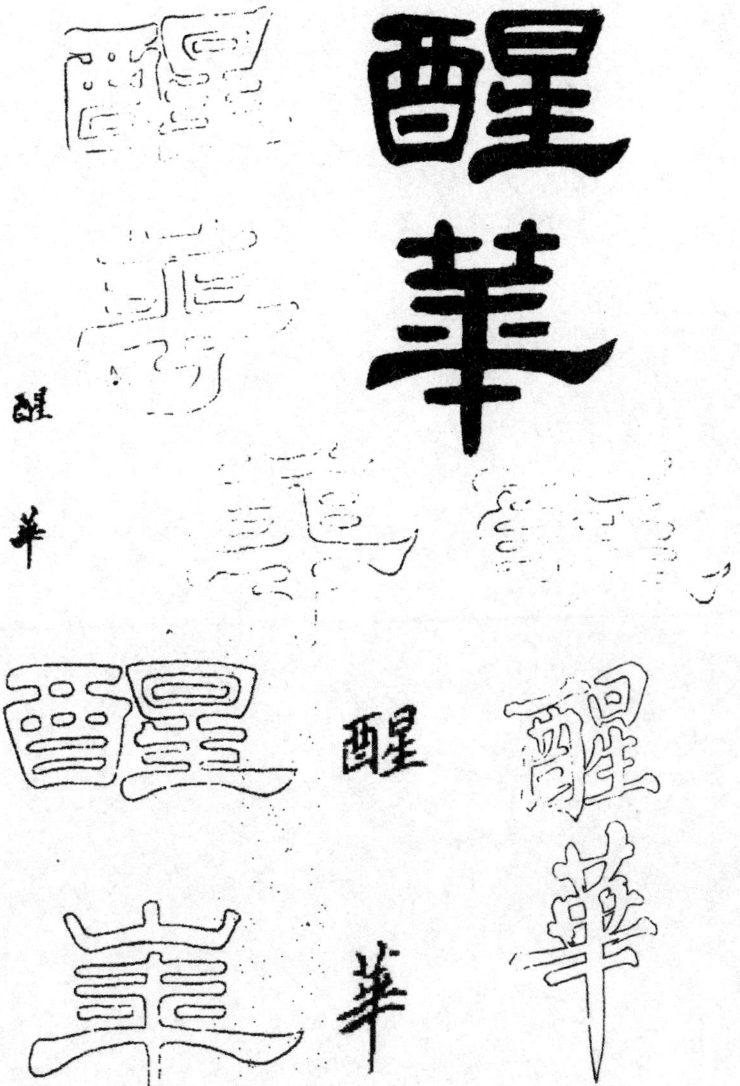
醒華